LE SMALL BANG

Étienne Klein

LE SMALL BANG

Des nanotechnologies

« PENSER LA SOCIÉTÉ »

Collection dirigée par Luc Ferry, président délégué du Conseil d'analyse de la société.

« Penser la société » publie les essais et les rapports écrits par des membres du Conseil d'analyse de la société ou par des auteurs qu'il a sollicités sur les questions de société de toute nature qui font aujourd'hui débat : des transformations de la famille moderne aux enjeux bioéthiques, en passant par les défis du développement durable, de l'éducation ou de la mondialisation. Les ouvrages de la collection s'attachent à présenter des synthèses originales, claires et approfondies, associées à des propositions de réformes ou d'initiatives politiques concrètes.

Le Conseil d'analyse de la société a pour mission d'éclairer les choix et les décisions du gouvernement dans tout ce qui touche aux faits de société. Il est composé de trente-deux membres, universitaires, chercheurs, artistes, représentants de la société civile de toutes sensibilités politiques, dans les domaines des sciences humaines.

© ODILE JACOB, JANVIER 2011
15, RUE SOUFFLOT, 75005 PARIS

www.odilejacob.fr

ISBN : 978-2-7381-2564-4

REMERCIEMENTS

L'auteur tient à remercier Vincent Bontems, Alexei Grinbaum et Marc Pavlopoulos, ses collègues et amis, pour tout ce qu'ils lui ont appris sur les enjeux des nanosciences. Ce livre doit beaucoup au travail mené en commun au sein du LARSIM.

Il remercie également Claude Capelier pour ses remarques judicieuses à la lecture du manuscrit.

INTRODUCTION

Je subtiliserais un morceau de matière,
Que l'on ne pourrait plus concevoir sans effort,
Quintessence d'atome, extrait de la lumière…

Jean DE LA FONTAINE

Il y a une trentaine d'années, deux ingénieux physiciens, Gerd Binnig et Heinrich Roeher, mirent au point un nouvel instrument, le microscope « à effet tunnel », ce qui leur valut le prix Nobel en 1986. Cet appareil allait ouvrir la voie à la révolution technologique de premier ordre qui se déroule aujourd'hui sous nos yeux. (En réalité, il faudrait plutôt dire « hors de nos yeux », car cette révolution concerne des objets si minuscules qu'ils sont parfaitement invisibles à l'œil nu.) Il permit non seulement de former l'image d'atomes individuels, mais aussi, pour la première fois dans l'histoire, de toucher un seul atome à la fois et de le déplacer à volonté. D'ordinaire, lorsque nous effleurons un objet, un stylo par exemple, des milliards d'atomes appartenant à nos doigts « entrent en contact », si l'on peut dire, avec d'autres milliards d'atomes appartenant à l'objet. C'est alors une jolie pagaille, une sorte de mêlée générale et invisible dans l'intimité superficielle de la matière. Mais la pointe du microscope à effet tunnel, elle, est si effilée qu'elle peut toucher un atome individuel, en une sorte de calme tête-à-tête tout en retenue, et modifier tranquillement sa position. Grâce au microscope à effet tunnel (ou à ses avatars, tels le microscope en champ proche ou le microscope à force atomique), on peut donc édifier à coups de caresses successives, atome après atome, des architectures matérielles inédites[1]. Dès 1989, Donald Eigler, chercheur aux laboratoires IBM d'Almaden en Californie, parvint à écrire un sigle, celui d'IBM comme par hasard, à l'aide de trente-cinq atomes de xénon. L'image fit le tour du monde[2].

---

1. Le principe du microscope à effet tunnel est le suivant : une pointe métallique mise sous tension survole à quelques dixièmes de nanomètre d'altitude (soit quelque 10^{-10} mètre) la surface que l'on souhaite examiner. Par effet tunnel, des électrons peuvent passer de la pointe métallique à la surface, en traversant l'espace vide qui les sépare. Le taux d'électrons qui traversent est extrêmement sensible à la distance qui sépare la pointe de la surface, de sorte qu'en ajustant finement l'altitude de la pointe de façon à garder constant le « courant tunnel » on parvient à cartographier le relief des surfaces de façon très précise. L'effet tunnel, soucieux d'honorer son appellation, a permis de grandes percées.
2. http://www.almaden.ibm.com/vis/stm/atomo.html

On comprit qu'un nouveau jeu de Lego était né et que les vieilles binoculaires ne nous avaient pas tout montré.

Ce jeu lilliputien se déroule aux échelles les plus petites que nous sachions aujourd'hui manipuler. Il offre aux chercheurs la possibilité de construire des dispositifs de très petite taille (dix ou cent fois celle d'un atome). Cette approche dite « ascendante » est l'exact contraire de la miniaturisation : au lieu d'obtenir ces dispositifs en taillant dans la masse, on les « monumentalise » pièce par pièce, en l'occurrence atome par atome ou molécule par molécule.

Imaginons par exemple que, sous l'effet d'un soudain caprice, nous voulions fabriquer un cube qui soit un million de fois plus petit qu'un grain de sable, c'est-à-dire avec un côté mesurant un milliardième de mètre. Pour le construire, il nous suffira d'assembler, un par un, une soixantaine d'atomes. Grâce au microscope à effet tunnel, un tel tour peut être joué. On a appelé « nanotechnologie » (au singulier) cette méthode ascendante de construction atome par atome. À titre de comparaison avec la méthode descendante, celle de la miniaturisation, il faudrait « attaquer » un bloc de matière première, le rogner peu à peu, par exemple

13

enlever à un cube de départ d'un centimètre de côté plus de cent milliards de milliards d'atomes pour obtenir le même résultat. Quel gâchis d'atomes ce serait, est-on tenté de dire.

Par essence, la nanotechnologie est maximalement économe en ressources matérielles. Mais peu à peu, au fil des années, sa définition s'est élargie au point de se brouiller : la nanotechnologie s'est transformée en « nanotechnologies » (au pluriel) un peu « fourre-tout », il faut bien le dire. En effet, les nanotechnologies ne concernent plus seulement la manipulation de la matière atome par atome, mais englobent également toutes les techniques permettant de fabriquer de petits objets avec une précision de l'ordre du milliardième de mètre, y compris lorsque celles-ci mettent en jeu non plus seulement quelques atomes, mais des milliards. L'idée de départ s'est donc passablement dispersée, au point de recouvrir désormais un spectre très large d'activités fort différentes, qui vont de l'électronique dernier cri aux nouvelles biotechnologies en passant par la conception de matériaux dits « intelligents » ou la production de poudres ultrafines.

Ces nanotechnologies offrent sans conteste des potentialités (réelles ou supposées) si nombreuses et si intéressantes qu'elles bénéficient depuis plusieurs années de crédits massifs et se désignent ainsi comme le nouvel horizon des politiques de recherche et développement. Comme elles concerneront sans doute tous les secteurs industriels, les plus classiques comme les plus high-tech, on les associe même à une véritable « révolution de notre civilisation » qui pourrait modifier drastiquement nos façons de vivre, de travailler, de communiquer, de produire, de consommer, de contrôler, de surveiller. On conçoit dès lors que les enjeux des nanotechnologies et les questions qu'elles soulèvent débordent largement du cadre de la seule technique et fassent l'objet de discussions enflammées et de débats parfois fort vifs. Par les perspectives qu'elles ouvrent, par les bouleversements qu'elles rendent envisageables, elles s'arriment d'emblée à la question des *valeurs*, que celles-ci soient morales ou spirituelles. Elles interrogent également l'idée que l'on se fait de la société, de ce qu'elle devrait être ou ne devrait jamais devenir. Elles se confrontent donc *de facto* à des argumentations qui sont d'ordre à la fois culturel, éthique et politique.

Pareille collision entre nos valeurs et les possibilités qu'offrent désormais la science et la technologie peut être brutale. Elle l'est d'ailleurs. Pourquoi ? D'une part parce que l'économie même de

15

nos tranquillités intellectuelles se trouve malmenée :
devons-nous faire tout ce que nous pouvons techniquement faire ? Si non, comment faire le tri ?
Comment choisir ? Et au nom de quoi ? D'autre
part, parce que la science est peu à peu devenue le
pas assez pensé du politique, alors même qu'elle peut
modifier notre façon de vivre plus rapidement et
plus profondément que la plupart des lois votées au
Parlement. C'est le paradoxe contemporain de la
science : cette grande mal connue, qui pourtant
bouleverse les existences et marque le monde de son
empreinte, est presque en lévitation politique. Dès
lors, rien d'étonnant à ce que, lorsqu'on la fait des-
cendre dans l'arène, lorsqu'on la « met en débat »,
cela provoque un curieux mélange de *conflits
violents* et d'*indifférence massive*. Des conflits, car
l'occasion est alors explicitement donnée de discu-
ter la science et de remettre en cause notre façon de
l'utiliser, de la décliner. Une indifférence massive (le
public ne se mobilise guère[1]), une passivité généra-

---

1. En 1925, Walter Lippman, un commentateur politique américain, publiait un livre prophétique intitulé *Le Public fantôme*, qui
mérite d'être relu aujourd'hui : le public fantôme, c'est, selon lui, chacun
d'entre nous, citoyens plongés dans une obscurité profonde lorsqu'il
s'agit de nous mêler des grandes affaires de ce monde, notamment de celles qui sont d'ordre scientifique ou technique (Walter Lippman, *Le
Public fantôme*, trad. Laurence Decréau, Éditions Démopolis, 2008).

lisée car les objets technologiques inondent tant notre vie quotidienne qu'ils nous sont devenus familiers, naturels, même si le rapport que nous entretenons avec eux est un rapport quasi magique : presque aucun d'entre nous ne sait comment fonctionnent un ordinateur ou un téléphone portables, ce qui ne nous empêche pas de nous en servir sans que notre crasse ignorance nous fasse trembler d'angoisse ou rougir de honte.

Le prestige de la science a longtemps tenu au fait qu'elle pouvait proposer un point de vue surplombant sur le monde : assise sur une sorte de refuge neutre et haut placé, efficace, sûre d'elle-même, elle semblait se déployer à la fois au cœur du réel, tout près de la vérité et hors de l'humain. Mais cette image est aujourd'hui brisée. Nous avons compris que la science n'est pas un nuage qui léviterait calmement au-dessus de nos têtes : elle a mille et une retombées pratiques, diversement connotées, qui vont de l'informatique à la bombe atomique en passant par les vaccins et les CD. Elle semble parfois anxiogène plutôt que rassurante : tout se passe même désormais comme si les avancées accomplies dans l'étendue des savoirs ou la puissance des techniques devaient se payer, chaque fois, de risques accrus

– d'ordre sanitaire, environnemental ou encore symbolique – qui alimentent l'inquiétude et la défiance. Elle n'est pas non plus autonome : des passions l'agitent, des controverses ponctuent son histoire, et elle est imbriquée dans toutes sortes de réseaux. Elle se développe *au sein* de la société et non au-dessus d'elle. Elle s'y montre par le biais des multiples transformations qu'elle induit, notamment dans notre vie de tous les jours. Or personne ne sent que cette société est vraiment la sienne. Alors, qu'ils soient perplexes, critiques ou hostiles, certains citoyens interrogent les liens de la science avec le pouvoir, la démocratie, le marché, les militaires. Cela les conduit à poser aux scientifiques des questions non strictement scientifiques, parfois embarrassantes.

La science, entourée d'un halo technologique si vaste qu'il finit par la représenter, n'est donc plus hors société. Elle est dedans, « en plein dedans », mais n'y occupe pas tout l'espace. À première vue, sa place ressemble à celle d'un aquarium dans un appartement. Les « poissons » qui vivent dans l'aquarium (c'est-à-dire les scientifiques, qui voudront bien me pardonner cette analogie) ne saisissent bien ni la forme extérieure de leur bocal ni l'effet global que celui-ci produit sur le décor.

Quant aux occupants de l'appartement (les citoyens que nous sommes tous), ils ne perçoivent pas ce qui peut bien motiver et piloter l'incessant mouvement des poissons, et encore moins ce qui se passe dans leur tête : des préjugés existent de part et d'autre, qui diffractent les regards. La science ne semble pas bien communiquer avec le tout qui la contient, et réciproquement. Certains antagonismes sont facilement repérables. Les scientifiques, en général, aiment la science d'un amour véritable, admirent ses conquêtes et honorent ses génies, et surtout ils savent à quel point elle peut s'éloigner de l'opinion commune et ridiculiser nos préjugés. Le public, lui, la voit avec d'autres yeux et sous d'autres angles : il ne considère le plus souvent que son impact technologique sur la société, l'environnement et l'économie, et aussi – surtout ? – la *tonalité générale* qu'elle donne à nos humeurs, à nos pensées, à nos jugements sur l'évolution de la société et même de la planète entière.

Or ce sont ces deux façons de regarder et de juger la science qui précisément ne s'accordent plus l'une avec l'autre. Tout se passe comme si, partant de deux positions différentes, elles ne saisissaient pas le même objet. Que faire pour améliorer les choses ? Suffirait-il de rendre la science plus transparente en astiquant les vitres de l'aquarium ? Ou bien est-ce l'eau qui est sale et qu'il conviendrait de changer ? Faudrait-il plutôt donner davantage la parole aux poissons, ou mieux écouter les citoyens ? Parce que les nanosciences pourraient notablement changer nos conditions de vie, leur émergence et leur développement nous obligent aujourd'hui à prendre ces questions très au sérieux.

Au travers des controverses que les applications de la science suscitent, ce n'est rien de moins que la question politique du projet de la cité, de ses fins, qui se trouve aujourd'hui posée : que voulons-nous faire socialement des savoirs et des « pouvoir-faire » que la science nous offre ? Les utiliser tous, par principe et au nom du progrès, ou les choisir, faire du cas par cas ? L'enjeu est crucial dans un monde traversé de tensions et de conflits dont certains touchent précisément aux conséquences du développement technologique. N'étant plus systématiquement perçues comme des facteurs de progrès, les avancées de la science et de la technique sont de plus en plus questionnées : il semble que nous nous inquiétons désormais de savoir si nous devenons véritablement plus libres et plus heureux par la multiplication des performances techniques. D'où une méfiance accrue vis-à-vis des détenteurs du savoir et des acteurs de la technoscience, soupçonnés d'accroître les périls, et peut-être même d'œuvrer en sourdine à l'aliénation collective.

L'opinion sur ces sujets souvent se crispe, les citoyens parfois s'entre-déchirent. Des crises éclatent, qui inquiètent. Pour tenter de les décrypter, voire de les prévenir, on sollicite les sciences humaines et la réflexion morale. Et, pour la première fois dans l'histoire, on en vient même à s'intéresser très officiellement au problème des « relations science-société ».

Que se passe-t-il donc ?

1

Qu'est-ce que
les nanosciences ?

Quelques atomes d'or véritable devaient entrer pour une part infime dans la composition de toute cette richesse clinquante.

Raymond ROUSSEL

Pour tout honnête homme, soucieux de comprendre les temps qui courent et la société à laquelle il appartient, trois raisons au moins invitent à s'intéresser aux enjeux des recherches qui sont menées dans le domaine des nanosciences.

Trois raisons de s'intéresser à ce nouveau champ de recherches

La première raison tient au fait que les nanosciences explorent un domaine intermédiaire entre deux mondes, celui de la physique classique dans lequel les objets ont des comportements dont chacun est coutumier, et celui de la physique quantique, où les objets obéissent à des lois qui semblent défier l'entendement : il y a de l'effet tunnel, de l'intrication quantique, de la non-localité, de l'indétermination, bref, toutes sortes de phénomènes étranges, aujourd'hui parfaitement maîtrisés, mais que nous ne voyons jamais se manifester à notre échelle. Le monde des nanosciences est donc un lieu d'interface théorique et conceptuel, et c'est ce qui le rend fascinant d'un point de vue fondamental, indépendamment de toutes les applications que l'on peut en espérer : il s'agit de comprendre comment les lois physiques changent lorsque l'on change d'échelle, en l'occurrence lorsqu'on passe de l'atome individuel à des systèmes comportant dix, cent, mille, dix mille atomes. Par exemple, comment passe-t-on d'une situation dans laquelle les objets physiques (particules, atomes) n'ont pas de position bien déterminée à une autre dans laquelle les objets physiques (agrégats d'un grand nombre d'atomes, telles une table ou une chaise) ont des positions et des trajectoires parfaitement définies ?

La deuxième raison vient de ce que les nanosciences sont, au moins pour une part d'entre elles, le lieu d'un design d'un nouveau genre. Le chercheur en nanosciences est aussi – et peut-être même d'abord – un ingénieur : son but n'est pas de vérifier telle ou telle théorie, ni même d'obtenir une meilleure représentation de la nature, mais, dans la plupart des cas, de construire des objets artificiels possédant les propriétés électriques, mécaniques, optiques que l'on désire, voire des propriétés « émergentes », que nous ne sommes pas capables de prévoir précisément.

Les nanosciences et les nanotechnologies doivent l'engouement qu'elles suscitent au seul fait qu'on a aujourd'hui parfaitement confiance dans le socle théorique sur lequel elles s'appuient, à savoir le formalisme de la physique quantique adapté à l'échelle qui va du nanomètre à la centaine de nanomètres : dès lors que les bases scientifiques sont sûres et bien établies, on peut explorer les potentialités technologiques qu'elles suggèrent sans trop craindre de tomber sur un « os conceptuel » ou sur une impasse théorique. Dans le domaine des nanosciences et des nanotechnologies, recherche fondamentale et recherche technologique tendent à se confondre. Mises en symbiose, elles englobent un ensemble d'opérations et de connaissances grâce auxquelles on peut envisager de « canaliser les forces naturelles dans le monde de l'artifice humain », pour parler comme Hannah Arendt dans *La Condition de l'homme moderne.* Les nanosciences ouvrent indiscutablement de nouvelles perspectives, qui méritent tout aussi indiscutablement d'être interrogées. Par les scientifiques, bien sûr, mais aussi par l'honnête homme auquel nous faisions référence plus haut.

La troisième raison pour s'y intéresser de près, c'est ce qu'on dit des nanosciences, cette prolifération de discours qui surgissent à leur propos, cet entremêlement d'espoirs et de craintes qui les entourent, cette mobilisation de l'imaginaire qu'elles suscitent ou stimulent alors qu'elles n'en sont qu'à leurs balbutiements (même si ceux-ci sont sans doute voués à des destins exponentiels). Il est utile d'entendre ces discours, de les interpréter pour percevoir à travers eux la façon dont nos rapports avec le progrès – avec l'idée de progrès – se reconfigurent. Quelle image de l'avenir s'exprime là ? Qu'espérons-nous de la technique ? Que craignons-nous d'elle ? Que croyons-nous entrevoir ? L'Apocalypse ? Le Salut ? Un peu des deux ? Ni l'un ni l'autre ?

En fait, une affaire de gigaparticules

Les nanosciences sont par essence multiformes. Elles recouvrent un vaste champ de recherches regroupées en vertu de leur appartenance à un même ordre de grandeur spatial : le nanomètre (nm), c'est-à-dire le milliardième de mètre. Cette longueur, qui représente dix fois le diamètre d'un atome, est au mètre ce que le diamètre d'une noisette est à celui de la Terre. Pour fixer encore mieux les idées, rappelons que la taille transversale de grosses molécules comme l'ADN[1] est de 2 nanomètres, celle d'un virus, d'environ 70 nanomètres, celle d'un globule rouge, de 700 nanomètres, celle d'une bactérie, de 1 micron (soit 1 000 nanomètres), et que l'épaisseur d'un cheveu mesure environ 50 microns, soit 50 000 nanomètres.

En association avec le nanomètre, on parle de « nanoparticules ». Cette appellation n'est pas très heureuse : « nano- » étant un préfixe qui

---

1. En réalité, l'ADN est une sorte de structure double ressemblant aux montants d'une échelle dont les barreaux se forment par la liaison de bases azotées. On peut le voir *grosso modo* comme un fil qui, quand il est déplié, mesure plusieurs mètres de long.

d'habitude marque le milliardième de quelque chose, une nanoparticule devrait être un milliard de fois plus petite qu'une particule. Or la réalité est exactement... l'inverse : une nanoparticule est un milliard de fois plus grosse (en diamètre) qu'une « vraie » particule, c'est-à-dire qu'une particule élémentaire comme l'électron ou le quark. Les nanoparticules sont en réalité des *giga*particules !

Le nom « nanoparticules » relève donc d'une appellation mal contrôlée, qui est par voie de conséquence trompeuse. Car, contrairement à l'usage, « nano » n'y représente pas un préfixe, mais accole au mot qu'il précède une échelle de longueur particulière, celle du nanomètre.

À courte échelle, de nouvelles propriétés se font jour

Les nanosciences consistent, nous l'avons dit, en l'étude des phénomènes et en la manipulation de matériaux aux échelles atomiques, moléculaires et macromoléculaires. Leur intérêt tient au fait qu'à ces échelles les propriétés de la matière diffèrent significativement de celles observées à plus grande échelle. Les nanomatériaux possèdent en particulier des propriétés optiques, électriques et magnétiques fort différentes de celles de leurs homologues macrostructurés. Par ailleurs, à cette courte échelle, les atomes ou les molécules sont isolés, presque sans voisins, et présentent donc de larges surfaces disponibles pour entrer en interaction, ce qui les rend beaucoup plus actifs.

Prenons l'exemple de l'or, le métal noble par excellence. Il est chimiquement inerte à l'échelle macroscopique, mais il se met à devenir très réactif lorsqu'on le dispose sous forme de petites billes de taille nanométrique.

Quant au carbone, élément chimique des plus familiers, il constitue un monde nouveau, surprenant : par exemple, lorsqu'il est structuré sous la forme de nanotubes, il n'a plus le comportement habituel du carbone lorsqu'il est sous forme de diamant, de graphite ou de charbon. Il possède alors des propriétés physiques, mécaniques et électriques tout à fait exceptionnelles. Plus durs et meilleurs conducteurs thermiques que le diamant, dotés de propriétés électriques supérieures à tous les matériaux connus, capables d'encapsuler des molécules, les nanotubes de carbone, désormais fabriqués industriellement[1], sont susceptibles d'être utilisés dans de très nombreux secteurs (électronique, aéronautique, plastiques, lubrifiants, piles à hydrogène). Comment les a-t-on découverts ? Par hasard. Les fumées produites par la combustion des composés contenant du carbone (hydrocarbures, bois, charbon) comportent des particules noires constituées pour l'essentiel de carbone solide. Mais l'observation minutieuse de ces particules à l'aide d'un microscope électronique a révélé la présence en leur sein de « filaments », approximativement cylindriques et de quelques centaines de micromètres de long. Ces cylindres comportant souvent une partie évidée autour de leur axe, il s'agissait en fait de tubes. En 1990 apparut le terme de « nanotubes » de carbone, qui venait couronner la première observation d'une forme « parfaite » : des tubes formés d'enroulements coaxiaux de couches cylindriques d'atomes de carbone. Avec les fullerènes[2], qui sont des structures fermées, compo-

---

1. Ils se présentent à notre échelle sous la forme d'une poudre noire.

2. Découverts en 1985, les fullerènes furent ainsi nommés en l'honneur de Richard Buckminster Fuller, architecte connu pour la construction de dômes.

sées elles aussi d'atomes de carbone et ayant la forme d'un ballon de football, voire de rugby, ils constituent la troisième forme cristalline du carbone après le graphite et le diamant[1].

À l'échelle du nanomètre, ce sont également les propriétés électriques des matériaux qui changent. Par exemple, il devient possible de faire circuler les électrons un par un, et non plus en pelotons comme le fait l'électricité « traditionnelle ». Les propriétés optiques sont également modifiées : sous forme de poudre, constituée de grains de 300 nanomètres, les oxydes de titane ou de zinc réfléchissent la lumière visible et peuvent servir de pigment blanc dans les peintures ; mais, lorsqu'ils sont sous forme de nanoparticules, ce sont les rayons ultraviolets qu'ils diffusent, ce qui les rend invisibles.

Il existe également de nombreux matériaux qui acquièrent à petite échelle des propriétés catalytiques, c'est-à-dire la capacité d'accélérer ou de ralentir une réaction chimique sans se modifier eux-mêmes. On conçoit que ces propriétés puissent intéresser un certain nombre d'industriels

---

1. Rappelons que, dans le diamant, les atomes de carbone sont agencés en cristal ; dans le graphite, ils sont structurés en feuillets.

(par exemple ceux de la pétrochimie) désireux de disposer de catalyseurs plus efficaces (permettant donc d'économiser de l'énergie) et plus sélectifs (générant donc moins de sous-produits).

Plus un objet est petit, et plus sa surface est... grande !

La plupart de ces nouvelles propriétés tiennent au fait que, lorsque l'on divise un objet en parties plus petites, on augmente le rapport entre la surface totale de l'objet et son volume. Songeons à une boîte parallélépipédique de sucres en morceaux : la surface des parois de la boîte est beaucoup plus petite que la somme des surfaces de chacun des morceaux de sucre présents dans la boîte. Diviser un corps, c'est bien augmenter sa surface externe relativement à son volume.

Cette opération, effectuée sur un morceau de matière, accroît donc ses potentialités d'interactions physiques ou chimiques avec son environnement, ce qui le rend plus réactif. L'exemple des comprimés effervescents nous permettra de mieux comprendre l'importance de cet effet, bien qu'il ne soit pas tiré de l'univers nanométrique :

les comprimés effervescents se dissolvent dans l'eau grâce à une réaction chimique entre l'eau et les molécules présentes à leur surface. Avec un comprimé normal, la dissolution prend environ une minute, et nous avons alors l'habitude de voir le comprimé s'agiter et diminuer progressivement de taille. Mais, si on broie au préalable le comprimé avant de le mettre dans l'eau, bien que la quantité de matière à dissoudre ne soit pas modifiée, la dissolution ne prendra plus que quelques secondes car la surface de réaction entre l'eau et la poudre broyée sera beaucoup plus importante.

Du fait de ces phénomènes, tous les éléments chimiques classés dans le tableau périodique avec des propriétés physiques et chimiques bien connues peuvent être revisités à l'échelle du nanomètre et y exhiber de nouvelles propriétés. Cette situation riche de promesses est bien sûr un atout. C'est même elle qui est à l'origine de l'enthousiasme pour les nanotechnologies. Elle présente cependant l'inconvénient de laisser pour l'instant sans réponses définitives le problème de la nanotoxicité : la toxicité éventuelle d'une nanoparticule ne dépend plus seulement des éléments chimiques qui la constituent, mais aussi de sa forme, de sa taille, de sa localisation, de son environnement, ce qui fait beaucoup de cas et de situations à examiner[1]. Voilà donc un domaine (sur lequel nous reviendrons) où les experts, constatant qu'on ne peut pas en rester aux généralités, reconnaissent qu'ils ne savent pas, en tout cas qu'ils ne savent pas encore, même si les connaissances en la matière progressent. De gros programmes de recherches ont été lancés, qui s'étendront nécessairement sur des années, compte tenu de l'ampleur et de la difficulté du problème posé : les nanomatériaux doivent en effet être examinés au cas par cas, produit par produit, usage par usage.

Les contours imprécis du prétendu « nanomonde »

Plus précisément, de quoi est-il question lorsqu'on utilise les mots « nanosciences » et « nanotechnologies », ou que l'on accole le pré-

---

1. Une étude a par exemple montré que les propriétés physico-chimiques des nanotubes de carbone dépendent de leur environnement (sols, eaux de surface, eaux souterraines, végétaux, animaux), ce qui signifie que chaque écosystème se trouve exposé à un type différent de nanotubes de carbone.

fixe « nano- » aux substantifs « objet », « particule », « monde », etc. ? À première vue, la définition de ces termes dépend de celui qui parle et
aussi de celui à qui l'on s'adresse : si les scientifiques les emploient selon des critères (assez) pré-
cis, le public identifie en général les nanotechnologies à un nouveau monde, assez flou, d'entités
minuscules et imperceptibles. Entre ces deux
pôles circulent des métaphores et des analogies
plus ou moins pertinentes, qui anticipent souvent
sur ce que seront les nanotechnologies bien au-
delà de leur réalité présente.

Employé pour la première fois en 1974 par
le chercheur japonais Norio Taniguchi, le terme
« nanotechnologies » n'a cessé depuis de se dis-
perser et de s'embrumer. Aujourd'hui, la définition des nanosciences et des nanotechnologies est
tout sauf simple à établir. Le défi est donc d'élaborer une appréhension cohérente de ce phénomène qui est à la fois scientifique, politique et
médiatique : les « nanos » sont un *champ multidisciplinaire* de recherches (regroupées en vertu
de leur appartenance à un ordre de grandeur spatial), un *label attractif* mis en avant par les politiques de recherche actuelles, mais aussi un *enjeu
de société* suscitant une multitude de rapports, tels

ceux du comité d'éthique du CNRS[1], de l'Office parlementaire d'évaluation des choix scientifiques et technologiques[2] ou du Comité consultatif national d'éthique pour les sciences de la vie et de la santé[3].

En 2004, la Royal Society et la Royal Academy of Engineering définissaient ainsi les nanosciences et les nanotechnologies : « Les nanosciences sont l'étude des phénomènes et la manipulation de matériaux aux échelles atomiques, moléculaires et macromoléculaires, où les propriétés diffèrent significativement de celles observées à plus grande échelle. Les nanotechnologies recouvrent la conception, la caractérisation, la production et l'application de structures, de dispositifs et de systèmes par un contrôle de la forme et de la taille exercé à l'échelle nanométrique[4]. »

---

1. COMETS, *Enjeux éthiques des nanosciences et nanotechnologies, 2006*, http://www.cnrs.fr/fr/presentation/ethique/comets/docs/ethique_nanos_061013.pdf.

2. J.-L. Lorrain et D. Raoul, *Nanosciences et progrès médical*, 2004, http://www.senat.fr/rap/r03-293/r03-293.html.

3. J.-C. Ameisen et C. Burlet (rapporteurs), *Questions éthiques posées par les nanosciences, les nanotechnologies et la santé*, avis 96 du Comité consultatif national d'éthique pour les sciences de la vie et de la santé, Paris, 2007.

4. Royal Society & Royal Academy of Engineering, *Nanoscience and Nanotechnologies. Opportunities and Uncertainties*, http://www.nanotech.org.uk/, chapitre 2, 2004.

Les nanosciences se caractérisent donc par un ordre de grandeur spatiale et par l'existence de propriétés originales de la matière à cette échelle. Elles ne constituent nullement une nouvelle théorie dont il s'agirait d'établir l'exactitude en la confrontant à l'expérience. Il s'agit plutôt d'un champ de recherche transversal où interviennent plusieurs disciplines déjà constituées : physique, chimie, science des matériaux, science des surfaces, électronique, biologie, informatique.

Dans les rapports officiels comme dans la langue commune ou médiatique, c'est le terme « nanotechnologies » qui domine et englobe les nanosciences aussi bien que leurs applications. Les scientifiques privilégient, quant à eux, une définition plus restrictive. Il paraît en effet abusif de dire d'un feu de bois qu'il relève des nanotechnologies sous prétexte qu'il produit de la suie contenant des nanoparticules naturelles, ou de ranger les connaissances acquises sur la vitamine C dans le registre des nanosciences au motif que les molécules qui la constituent sont de taille nanométrique. Les critères de démarcation pertinents font plutôt appel au rôle de l'instrumentation, qui permet l'observation et l'ingénierie directe des molécules ou des atomes, aux propriétés inédites et parfois surprenantes des objets à l'échelle nanométrique.

Les nanosciences utilisent des modèles souvent originaux et innovants, car elles étudient des objets atomiques, pris individuellement, aux potentialités jusque-là inexploitées et pas toujours connues *a priori*. Elles ne peuvent donc pas être considérées seulement comme une « science appliquée ». La frontière entre nanosciences et nanotechnologies demeure à cet égard comme à d'autres arbitraire, de sorte qu'on peut les qualifier ensemble de *recherches technologiques fondamentales à l'échelle nanométrique*.

Même si on adopte cette définition opératoire, le champ des nanotechnologies demeure d'un périmètre incertain : les hybridations entre disciplines embrouillent ses contours et ses divisions. Par exemple, les nanobiotechnologies constituent un sous-champ assez autonome qui focalise l'attention des médias et des décideurs politiques en raison des résonances affectives et des problèmes éthiques qu'entraîne l'estompement de la frontière entre matières inorganique, organique et organisée à l'échelle moléculaire (par exemple avec l'instrumentalisation de l'ADN).

Demeure en outre une question de taille : lorsqu'on parle d'un objet « nanométrique », de quoi s'agit-il précisément ? Beaucoup s'accordent pour considérer comme nanométriques les objets de taille inférieure ou égale à 100 nanomètres, car en deçà de cette limite les propriétés de la matière changent. Mais la question se pose de savoir quels sont les objets concernés par cette limite de taille.

• Seulement ceux dont toutes les dimensions sont inférieures à 100 nanomètres ? Les nanotechnologies ne concerneraient alors que les nano-objets dont aucune dimension ne dépasse les 100 nanomètres, ce qui exclurait de leur champ d'application les nanofils et autres « nanotubes » (dont la longueur peut dépasser le centimètre). Et, dans ce cas, on devrait considérer que les physiciens, les chimistes et les biologistes font des nanosciences depuis fort longtemps, mais sans utiliser ce terme (la chimie est, par essence, une nanoscience)…

• Ceux dont l'une des dimensions seulement est inférieure à cette longueur ? Dans ce cas, les nanofils et les nanotubes deviennent d'authentiques nano-objets, ainsi que les « couches nanométriques » et, de façon plus générale, toutes les surfaces « nanostructurées » : dans l'électronique, les industriels font des dépôts de matière de quelques dizaines de nanomètres d'épaisseur, puis y creusent des sillons, y appliquent de nouveaux dépôts, et ainsi de suite, créant ainsi des empilements de couches qui correspondent à des circuits électroniques.

• Ceux qui contiennent des objets dont l'une des dimensions est plus petite que 100 nanomètres ? Les nanotechnologies concerneraient alors de très nombreux secteurs, y compris la *micro*électronique qui produit des microprocesseurs dont la taille est de l'ordre du centimètre mais qui contiennent des millions de transistors nanométriques.

On voit par ces questions qu'il n'est pas facile de caractériser simplement le domaine des nanotechnologies qui recouvrent des objets, des techniques et des finalités très différents. Cette ambiguïté se retrouve jusque dans la signification même du mot « nanomatériaux ». Car pratiquement tous les matériaux (ciment, métaux, bois…) se révèlent être nanostructurés, que ce soit de façon naturelle ou artificielle. L'idée a donc été proposée de restreindre l'appellation « nanomatériaux » aux matériaux qui ont été sciemment nanostructurés par l'être humain. Mais alors, étrangement, les nano-matériaux naturels ne devraient plus être considérés comme des nanomatériaux...

Une tentative de classification des nanotechnologies

Les nanotechnologies sont foisonnantes, nous l'avons dit, elles constituent même une belle auberge espagnole, mais on peut malgré tout les répartir *aujourd'hui* en trois grandes catégories.

La *première catégorie* regroupe l'ensemble des procédés de synthèse des nano-objets : il s'agit de produire une substance de taille nanométrique en grande quantité avec le meilleur rendement et la plus grande pureté possible. Par exemple des nanotubes de carbone, dont je vais reparler, ou bien des fullerènes qui résistent encore mieux que le titane à la flexion, ou bien encore d'autres types de nanoparticules qu'on met dans les peintures et les vernis pour augmenter leur résistance à l'abrasion.

La *deuxième catégorie* regroupe des procédés visant l'incorporation de nano-objets dans des substances « nanocomposites » : des nano-objets sont alors dispersés dans la matrice d'un solide ou à sa surface, dans un solvant ou même un gaz, pour lui donner des propriétés intéressantes. Dans ce cas, les techniques diffèrent peu de celles des additifs classiques, mais offrent un vaste champ d'innovations qui représente aujourd'hui 70 % des activités en nanotechnologies et concerne tous les secteurs industriels, les plus sophistiqués comme les plus traditionnels : pièces mécaniques ultrarésistantes, revêtements pour l'aéronautique, verres autonettoyants, cosmétiques, nouveaux systèmes de motorisation comme la traction hybride ou électrique, catalyseurs pour obtenir un indice d'octane élevé dans les carburants. Les additifs les plus connus sont sans doute les nanotubes de carbone, dont la structure est très stable, et qui possèdent de ce fait des propriétés physiques (notamment mécaniques) très intéressantes : cent fois plus résistants que l'acier tout en étant six fois plus légers que lui, on n'a guère envie de les jeter à la poubelle. Ils sont d'ailleurs utilisés par les fabricants d'équipements sportifs, dans des matériaux composites qui allègent sans les fragiliser certaines raquettes de tennis ou de badminton, des clubs de golf, des crosses de hockey, des cadres de vélo et, *last but not least*, des cram-

pons et des piolets d'alpiniste. D'autres nanoparticules comme les dioxydes de titane, de cérium
ou de zinc sont également célèbres : étant capables de filtrer les rayons ultraviolets sans pratiquement diffuser la lumière visible, on en trouve
dans certaines crèmes solaires, qui du coup sont
quasi transparentes. De plus, en séchant, certaines s'agglomèrent pour former une structure en
réseau qui augmente la tenue de la crème sur la
peau lors de l'exposition à l'eau.

L'industrie textile a elle aussi recours aux
nanotechnologies pour améliorer ses produits,
pour changer leurs propriétés thermiques, empêcher la formation de plis, augmenter leur résistance à l'eau, au feu, à l'abrasion. Parfois, elle vise
encore plus loin : dans le domaine du vêtement
de sport, par exemple, des nanoparticules métalli-
ques, d'argent notamment, sont intégrées aux
fibres afin de donner des propriétés bactéricides
au tissu et ainsi lutter contre les mauvaises
odeurs. Ces nanoparticules d'argent sont présentes aujourd'hui dans plus de six cents produits
(électroménager, pansements, sous-vêtements).

Contrairement à ce que l'on pourrait croire,
ces techniques ne sont pas vraiment novatrices.
Elles ont été utilisées il y a fort longtemps, mais

c'était bien sûr à la façon de Monsieur Jourdain faisant de la prose : on a récemment découvert que la dureté exceptionnelle des fameuses épées de Damas, dont le tranchant était redouté des croisés, était due à la présence dans leur acier de nanofibres de carbure de fer, encapsulées dans des nanotubes de carbone ; ces fibres résultaient de divers traitements thermiques d'un minerai de fer très chargé en carbone qui provenait d'Inde...

Enfin, la *troisième et dernière catégorie*, qui constitue le cœur conceptuel des nanotechnologies, consiste à modeler la matière selon des architectures précises afin de créer des systèmes miniaturisés à l'échelle nanométrique, dans lesquels seront exploitées les propriétés inédites des nano-objets. On assemble ces objets atome par atome (ou molécule par molécule) pour élaborer des systèmes ou des matériaux dont la fonctionnalité répond à un besoin particulier, en vue d'applications bien identifiées. Par exemple, on peut songer à faire des transistors possédant le nombre minimal d'atomes permettant d'accomplir la fonction d'un transistor, et ainsi économiser de la matière et augmenter la densité spatiale des composants électroniques. On peut également imaginer des matériaux permettant de mieux isoler les constructions ou de mieux convertir la lumière solaire en énergie, ou bien encore à des dispositifs permettant le stockage de l'hydrogène. Plus prosaïquement, la détection d'atomes ou de molécules individuels permet également d'envisager de déceler l'odeur d'un produit avarié dans une chaîne de production avec une sensibilité accrue, dès la première molécule...

Il arrive que, dans ces cas, on ne parte pas sans modèles. On sait en effet qu'il existe des entités biologiques qui sont naturellement nanostructurées, et il peut être intéressant de les singer (c'est ce qu'on appelle le biomimétisme), ou bien de s'inspirer d'elles sans vraiment les copier[1]. Je donnerai trois exemples.

• La *nacre*, qui est constituée d'un échafaudage très ordonné de plaquettes de carbonates de calcium d'une épaisseur nanométrique. L'ensemble lui confère une résistance exceptionnelle, chaque

_____

1. Le fait d'utiliser la nature comme source d'inspiration technique n'est nullement spécifique de l'échelle nanométrique : c'est par exemple l'observation du vol des oiseaux qui a conduit des hommes à s'interroger sur la possibilité de fabriquer des machines volantes. De telles machines ont finalement été construites, mais en utilisant un principe fort différent de celui du vol à ailes battantes. Les avions volent, mais pas comme des oiseaux.

couche étant capable d'«encaisser» une partie des chocs reçus. Les mécaniciens tentent évidemment de s'en inspirer.

• Le *lézard appelé gecko*, originaire d'Asie, qui parvient à grimper sur les surfaces les plus lisses et à adhérer à un plafond grâce aux milliards de nanopoils dont sont pourvus ses doigts. Ces poils se collent aux parois par des interactions électrochimiques, dites de Van der Waals, qui se produisent lorsque deux molécules s'approchent à des distances de l'ordre du nanomètre. Ces interactions étant extrêmement faibles, il faut au gecko un très grand nombre de nanopoils sur chaque doigt pour pouvoir s'accrocher en toutes circonstances (ce nombre avoisine 500 000 poils répartis sur une surface d'environ cent millimètres carrés). Pour se déplacer, l'animal doit rompre les liaisons de tous ces nanopoils avec la paroi : il procède pour cela par arrachement, comme on le fait quand on décolle un ruban adhésif d'un mur.

• Les *feuilles de lotus*, qui ne retiennent ni eau ni poussières et restent donc toujours parfaitement propres et lisses au toucher. Il est apparu qu'elles étaient naturellement nanostructurées, hérissées de nanopointes semi-rigides qui empêchent l'eau de former des microgouttelettes collées aux feuilles.

L'eau qui tombe sur les feuilles se voit ainsi rejetée par les nanopointes et perle à vitesse élevée, entraînant la saleté avec elle. On conçoit que cet exemple puisse être source d'inspiration pour les fabricants de vitres autonettoyantes...

Toutefois, il faut se méfier du *story-telling* que produisent des esprits trop zélés et relativiser la portée de certaines analogies proposées entre matériaux artificiels et structures biologiques. Il arrive en effet qu'on se réclame du « biomimétisme » seulement *a posteriori* : on découvre des propriétés d'un matériau nanostructuré sans s'être inspiré de la nature, et on n'opère qu'après coup le rapprochement avec des êtres vivants pour mieux illustrer ou mettre en valeur sa découverte.

« Nano » : un label attractif et fédérateur

Les crédits massifs dont bénéficient les nanosciences depuis quelques années (notamment depuis la « National Nano-Initiative » lancée en 1999 par le président Clinton) les désignent comme le nouvel horizon des politiques de recherche. Trente-cinq pays sont officiellement entrés dans la marche vers le prétendu « nanomonde » (dont nous allons voir qu'il recouvre des notions pour le moins disparates) : non seulement des pays européens, mais aussi l'Australie, l'Afrique du Sud, le Japon, la Corée du Sud, l'Inde, la Chine, Taïwan, Israël, le Brésil. Les soutiens publics se comptent déjà en milliards d'euros (ou de dollars), et ils devraient croître à un rythme élevé dans les prochaines années, au point que certains parlent d'une « déferlante » budgétaire autour des thématiques labellisées « nanos ». En France, près de sept mille chercheurs travaillent aujourd'hui dans ce secteur.

Comment et pourquoi ce domaine de recherche est-il devenu un champ scientifique ? En 1997, une étude scientométrique[1] avait mesuré la diffusion du préfixe « nano » au sein des titres et des résumés des articles scientifiques. On y constatait une croissance exponentielle : la fréquence d'utilisation de ce préfixe doublait tous les dix-neuf mois. Certains experts ont alors considéré qu'on assistait à l'émergence très rapide

---

1. T. Braun, A. Schubert et S. Zsindely, « Nanoscience and nanotechnology on the balance », *Scientometrics*, 28, 2, 1997, p. 321-324.

d'un champ interdisciplinaire entraînant une reconfiguration globale de la science. Toutefois, l'adoption du label « nano » par les chercheurs ne signifie pas nécessairement un changement profond de leurs pratiques. S'il se retrouve désormais dans presque toutes les disciplines, il serait imprudent d'en conclure que l'on assiste à l'émergence d'un champ authentiquement *interdisciplinaire*. En effet, la croissance exponentielle de l'utilisation du préfixe « nano » ne peut s'expliquer par le seul développement de nouvelles recherches : de nombreux chercheurs se reconvertissent dans les nanosciences en adoptant tout simplement ce vocabulaire pour présenter les recherches qu'ils menaient déjà auparavant. La quasi-disparition de l'angström (10^{-10} mètre, soit un dixième de nanomètre) comme unité de longueur n'est qu'une manifestation parmi d'autres de ce processus. Ainsi, plutôt que d'une vaste convergence *interdisciplinaire*, le développement du label « nano » profite surtout, pour le moment, d'une reconversion massive des chercheurs dans un champ *multidisciplinaire*, c'est-à-dire où coexistent plusieurs disciplines. L'avenir proche nous dira si cette situation contient les germes de son propre démenti.

Cette adoption si rapide du préfixe « nano » tient à la distorsion induite par la stratégie d'investissement des États et des entreprises, et aux priorités affirmées des politiques budgétaires. Prenant acte de ce processus, tout en l'alimentant, chaque agence gouvernementale souligne les efforts budgétaires consentis par les autres et en tire argument pour encourager les investissements publics et privés. Bien plus que les retours sur investissement observés, c'est cette stratégie d'émulation (qui se renforce d'elle-même) qui explique pourquoi les capitaux affluent. De manière comparable à ce que fut la conquête de l'espace, l'échelle des « nanos » apparaît aujourd'hui comme l'horizon principal vers lequel doivent se concentrer les moyens financiers et les efforts des chercheurs.

Sans les taxer d'opportunisme, il faut reconnaître que les chercheurs ne peuvent faire abstraction des arbitrages budgétaires qui s'exercent au travers des politiques scientifiques. Pour beaucoup d'entre eux, le ralliement au label « nano » est devenu la condition *sine qua non* de l'obtention des crédits nécessaires à leurs recherches. D'où la définition parodique qui est parfois donnée du terme nano : « Nano est un préfixe fabri-

qué et introduit dans les demandes de finance-
ment pour exploiter la générosité inhabituelle des
fonds scientifiques à l'échelle nanométrique[1]. » La
rhétorique « nano » est également reprise à plus
grande échelle quand certains font état d'une
convergence des nanotechnologies, des biotechnologies, de l'informatique et des sciences cognitives (convergence dite « NBIC »), alors même
que cette prétention à former un ensemble cohé-
rent en cours d'homogénéisation demeure discu-
table, et reste de toute façon à démontrer : la
collaboration de plusieurs disciplines scientifiques, si intense soit-elle, n'aboutit pas nécessairement à la fusion incandescente de leurs outils ou
de leurs thématiques.

Plutôt que de parler de convergence pro-
grammée, mieux vaut donc évoquer un processus
de reconfiguration de la recherche qui semble
aller dans le sens d'un décloisonnement entre secteurs, mais qui n'annule pas l'originalité d'un
biologiste par rapport à celle d'un physicien, ni
même la division du travail scientifique entre les
chercheurs orientés vers l'expérimentation ou

---

1. Cité *in NanoGeopolitics : ETC Group Surveys the Poli-
tical Landscape*, 2005, http://www.etcgroup.org/upload/publication/
pdf_file/51.

l'instrumentation et ceux orientés vers la théorie ou la simulation. Si cette reconfiguration est à la fois si visible et mise en avant avec tant d'emphase, c'est parce qu'elle s'opère dans un contexte historique qui accentue, au moins dans les apparences, la réorientation *technoscientifique* de la recherche. L'encouragement à faire breveter les découvertes ou à établir des passerelles avec l'industrie est un mouvement de fond, engagé depuis plusieurs années, qui entend ainsi répondre aux exigences de la compétition internationale. Même si l'importance des sommes engagées impose des exigences en matière de retour sur investissement, ces contraintes concernent la *megabuck science*[1] dans son ensemble. L'évaluation politique des recherches scientifiques reposant essentiellement sur les réponses aux questions : « Combien ça coûte ? » et « À quoi ça sert ? », il est assez logique que l'inflation des promesses aille de pair avec celle des budgets.

---

1. Littéralement « la science à gros biftons », expression imagée forgée en 1953 par N. Wiener pour désigner le régime de production des connaissances mis en place après la Seconde Guerre mondiale et réclamant un investissement massif de capitaux.

Questions sur la toxicité éventuelle des nanoparticules

Ainsi que nous l'avons déjà dit, l'incertitude sur la toxicité des nanoparticules est réelle : à l'échelle du nanomètre, une substance a un comportement très différent de celui qu'on lui connaît aux échelles plus grandes, du fait de la surface d'exposition qui devient plus importante proportionnellement à la quantité de matière. Son comportement varie aussi selon la forme de la nanoparticule, ce qui n'est pas le cas à l'échelle macroscopique, et exige des toxicologues qu'ils mettent au point des méthodes spécifiques d'analyse, de comptage, de détection. Du fait de leur petite taille, il est possible que les nanoparticules traversent les membranes de certains tissus ou de certaines cellules. Mais, ici comme ailleurs, le risque ne doit pas être confondu avec le danger : il est égal au *produit* de l'exposition par le danger. Cela signifie que, s'il n'y a pas d'exposition, il n'y a pas de risque. Par exemple, le risque associé à la pratique de l'alpinisme est nul pour ceux qui ne mettent jamais un pied en montagne. Dans le cas des nanoparticules, si le danger (leur toxicité) est avéré, on peut réduire le risque en limitant l'exposition.

En l'état des connaissances, les risques liés aux nanoparticules ne peuvent pas être évalués, faute de données suffisantes. Ils ne peuvent par conséquent pas être exclus. On doit donc considérer que les nanotechnologies présentent des risques potentiels. Tout d'abord, pour la santé des individus : l'exposition aux nanoparticules peut être *directe*, en raison de leur présence dans des produits de la vie courante (produits d'hygiène corporelle, médicaments, emballages alimentaires) ; elle peut être également *indirecte*, à cause de leur diffusion dans l'air ambiant, à la suite de l'usure ou de la fin de vie des produits qui en contiennent (pneumatiques, encres, essences).

Reste à déterminer précisément les capacités de pénétration des nanoparticules, notamment au travers de membranes comme le placenta ou la barrière hémato-encéphalique, et les effets qu'elles peuvent produire sur l'organisme. C'est l'objectif de la nanotoxicologie, une science encore jeune, qui vise à comprendre le devenir des nanoparticules une fois qu'elles ont pénétré dans l'organisme, les réactions qu'elles y provoquent, la manière dont elles sont éliminées ou non. Prenons l'exemple des nanotubes de carbone : que se passerait-il s'ils venaient à pénétrer un organisme vivant ? Plusieurs expériences ont été tentées sur des rongeurs, dont les résultats ont fait couler beaucoup d'encre et provoqué un certain bruit[1]. En 2008, Ken Donaldson (Université d'Édimbourg) et ses collaborateurs ont introduit, en grande quantité, de longs nanotubes de carbone dans la cavité abdominale de tels animaux et ont constaté l'apparition de lésions semblables à celles causées par l'amiante. En 2009, Jessica Ryman-Rasmussen (Université de Caroline du Nord) et son équipe ont fait inhaler durant six heures de très fortes concentrations de nanotubes à des souris et ont observé que ces animaux développaient une fibrose sous-pleurale. Mais quelles conclusions tirer de ces résultats qui vaillent pour l'homme et pour des niveaux d'exposition réalistes ?

La présence de nanoparticules dans l'environnement est elle aussi un sujet d'études. Pour une concentration supérieure à 1 milligramme par litre d'eau, on a pu établir que les nanoparticules

---

1. « Les nanoparticules » sont pourtant l'anagramme d'« un silence pastoral »... (Cette trouvaille m'a été généreusement signalée par Jacques Perry-Salkow, que je remercie.)

d'argent de taille inférieure à 10 nanomètres peuvent détruire les bactéries en interagissant avec les protéines de leurs membranes cellulaires. On sait également qu'à une dose de 0,1 milligramme en suspension par litre d'eau les fullerènes sont toxiques pour certains poissons. Mais il est difficile, là encore, de conclure, d'une part parce que ces concentrations sont bien supérieures à celles que l'on mesure aujourd'hui dans l'environnement, d'autre part parce qu'on ignore les effets que pourraient avoir de faibles concentrations sur de longues durées d'exposition. Les expériences qui ont été menées demeurent souvent trop éloignées de situations réalistes pour qu'on puisse évaluer précisément, à partir d'elles, la toxicité sanitaire des nanotechnologies.

Depuis plusieurs années, des associations soucieuses de préserver l'environnement et la santé humaine dénoncent cette incertitude sur la toxicité, la dispersion et le cycle de vie des nanomatériaux, alors même que certains sont déjà produits à l'échelle industrielle. Des syndicats expriment des craintes similaires à propos des conditions de travail qu'on rencontre dans les industries produisant ou utilisant des nanotechnologies. En 2008, l'Afsset[1] recommandait que les personnels soient protégés sans attendre que la toxicité ou l'innocuité soit prouvée, et demandait que soient initiées « des études épidémiologiques chez les travailleurs, aussi bien chez les utilisateurs que chez les producteurs ».

Dans une résolution du 24 avril 2009 sur les aspects réglementaires des nanomatériaux, le Parlement européen mettait en parallèle les investissements massifs pour la recherche en nanosciences et le manque de connaissances et d'informations sur les effets des nanoparticules. Il demandait à la Commission européenne de réviser toute la législation en matière de nanotechnologies et de dresser un inventaire des différents types de nanomatériaux et de leurs utilisations. La réglementation européenne REACH, qui régit

---

1. L'Afsset est l'Agence française de sécurité sanitaire de l'environnement et du travail. Elle évalue les risques sanitaires environnementaux et professionnels (amiante, pesticides, champs électromagnétiques, nanomatériaux...) et réalise des contre-expertises des évaluations de risques liés aux produits soumis aux dispositions européennes. En août 2009, l'Afsset a été désignée coordinateur principal d'une action conjointe nommée NanoGenotox. Celle-ci réunit douze pays européens et vise à développer une méthode simple et robuste pour évaluer les risques sanitaires des nanomatériaux manufacturés. Plus précisément, l'évaluation concernera les risques cancérigènes ou mutagènes liés aux nanomatériaux.

la mise sur le marché des substances chimiques, paraît en effet mal adaptée, car elle ne s'applique que pour des productions supérieures à une tonne – ce qui n'est pas nécessairement le cas des nanoparticules produites industriellement. En novembre 2009, le Parlement européen exigeait un étiquetage systématique des composants nanotechnologiques pour les produits de l'agroalimentaire et de la cosmétique. Ce n'est sans doute qu'un premier pas : les progrès des connaissances en nanotoxicité conduiront à la fixation de normes d'usage et à de nouvelles réglementations.

2

Vers un déplacement
des frontières ?

(Humain, non-humain,
vivant-inerte, naturel-artificiel)

> *La machine est l'étrangère ; c'est*
> *l'étrangère en laquelle est enfermé de*
> *l'humain méconnu, matérialisé, asservi,*
> *mais restant pourtant de l'humain.*
>
> Gilbert SIMONDON

En matière de nanotechnologies, il y a ce qui se fait aujourd'hui et il y a ce qui pourrait se faire à plus ou moins long terme. Car les pistes explorées par les nanosciences sont innombrables : elles vont du gadget le plus futile aux développements les plus utiles. Pour résoudre certains des problèmes que nos sociétés rencontrent aujourd'hui, tels les défis énergétiques et environnementaux, il se pourrait même qu'elles soient nécessaires, au sens où on ne saurait pas faire sans elles, ou pas faire aussi bien.

Quelques perspectives d'applications des nanotechnologies

Il ne serait guère éclairant de proposer ici une liste à la Prévert de tout ce qui est aujourd'hui imaginé : elle renseignerait davantage sur les fantasmes ambiants que sur les technologies vraiment prometteuses de l'avenir. Il s'agit – ne l'oublions pas – de champs de recherche. Certains aboutiront, d'autres non. On le sait : la trajectoire des idées technologiques est zigzagante et leur succès, en grande partie imprévisible.

Nous nous contenterons de donner quelques exemples particuliers, choisis presque au hasard dans des thématiques aussi différentes que l'énergie, les textiles ou la santé.

L'ÉNERGIE ET LE DÉVELOPPEMENT DURABLE

Les véhicules électriques offrent un fort potentiel d'économie d'énergie. On estime aujourd'hui que, pour être viables commercialement, ils doivent pouvoir parcourir environ 300 kilomètres avec 100 kilos de batteries. Des progrès ont été réalisés dans les véhicules à traction hybride de première génération. Néanmoins, pour parcourir 300 kilomètres, il faut encore des batteries très volumineuses. Les batteries lithium-ion, utilisées pour les ordinateurs portables et les téléphones mobiles, ont permis de progresser avec un meilleur stockage ; malheureusement, leur prix et leur durabilité restent incompatibles avec le marché de l'automobile. Le recours aux nano-technologies permet d'envisager de les rendre plus performantes et plus abordables, notamment en associant des nanoparticules de lithium, de fer et de phosphate.

Grâce aux nanotechnologies, on peut également songer à augmenter le rendement des cellu-les photovoltaïques et des panneaux solaires. Aujourd'hui produits à base de silicium, ces der-niers ne récupèrent que 10 % de l'énergie de la lumière qui les frappe. Les nouvelles cellules solaires, moins chères que les actuelles et pouvant absorber une plus grande plage d'énergie, utilise-raient des nanocordes, dispersées dans un poly-mère, qui produisent de l'électricité dès que la lumière les frappe.

On peut aussi envisager d'améliorer les dis-positifs d'éclairage, de mieux stocker l'hydrogène, d'optimiser la combustion des moteurs, de produire des matériaux peut-être aussi résistants que l'acier et aussi légers que le plastique, qui permettraient de réduire la consommation d'énergie, notamment dans l'aéronautique.

Terminons par un mot concernant l'électronique : les nanotubes pourraient remplacer les transistors actuels en silicium qui sont présents par millions dans les puces de nos ordinateurs. Le rôle d'un transistor est de recevoir un signal électrique et d'en émettre un ou non en retour. Généralement, ces signaux sont constitués de très nombreux électrons, mais les nanotubes sont capables, eux, de réagir à la charge électrique d'un unique électron. Cela permet d'imaginer de nouvelles possibilités d'économiser la matière et de miniaturiser les éléments fondamentaux de l'électronique.

LES TEXTILES

Certains prévoient qu'à l'avenir le textile d'habillement deviendra multifonctionnel. Dans la fibre textile, de véritables réseaux de capteurs-actionneurs, intégrant des nanocomposants, permettraient de remplir certaines fonctions, par exemple l'identification de l'état physiologique de celui ou de celle qui porte le vêtement (ce pourrait être très utile pour les pompiers, les combattants, les malades, les sportifs). Dans un avenir beaucoup plus lointain, il est envisagé de concevoir des tissus qui récupèrent l'énergie du corps humain pour la transformer en électricité. En d'autres termes, on pourrait se transformer soi-même en petite centrale électrique, ce qui permettrait à chacun de recharger lui-même son portable ou son pacemaker, à condition d'être tout habillé et d'avoir pris un bon petit déjeuner. Récemment, une équipe de l'université de Princeton a mis au point un dispositif qui produit de l'électricité quand on le déforme. Ce dispositif d'un genre tout à fait spécial est constitué de nanorubans de céramique piézoélectrique que les chercheurs sont parvenus à insérer dans une couche d'élastomère en silicone, matériau qui a la vertu d'être biocompatible.

D'une façon générale, en faisant appel aux nanotechnologies, l'industrie textile entrevoit la possibilité de couvrir des applications qui dépassent largement le vêtement et la mode. Avec une maîtrise du traitement des fibres au niveau moléculaire, les textiles de demain pourraient délivrer des médicaments ou encore contribuer à lutter contre la contrefaçon (par insertion de nanoparticules luminescentes encapsulées qui ne se révèlent que sous un éclairage particulier).

MÉDECINE ET SANTÉ

Lorsque l'on associe santé, médecine et nanotechnologies, on pense aussitôt aux développements de la « nanomédecine », très prometteuse et toute bardée de très hautes technologies : on évoque des traitements ciblés et régulés de diverses pathologies, des prothèses miniaturisées de toutes sortes, la possibilité désormais acquise d'introduire des artefacts dans le cerveau ou d'implanter dans le corps humain des mécanismes nanométriques à des fins médicales. Pourtant, toutes les pistes de développement ne sont pas aussi sophistiquées. Car il ne faut pas oublier que les nanoparticules, du fait de leur très grande réactivité, peuvent jouer un rôle important dans la dépollution et l'épuration de l'eau, qui sont essentielles à la meilleure santé de populations importantes, notamment dans les pays pauvres :

par exemple, des filtres à base de nanoparticules d'oxyde de fer peuvent piéger l'arsenic qui empoisonne certaines populations, notamment au Bangladesh. Pour comprendre ce qu'est un filtre, il suffit d'avoir en tête l'image d'un tamis ou d'un filtre à café : plus les espaces par lesquels l'eau peut passer sont réduits, plus la filtration est efficace (car les impuretés sont plus nombreuses à être retenues). Cette image permet de comprendre l'intérêt de certains nanopores comme agents filtrants. Des membranes céramiques nanoporeuses sont déjà utilisées pour assurer un meilleur filtrage et la fourniture d'eau potable propre (les nanopores sont en effet capables de retenir et d'éliminer les bactéries et les virus).

Dans un registre plus complexe, on peut envisager des nanomédicaments ciblant les cellules malades. L'idée est d'utiliser des nanovecteurs qui concentreraient des molécules médicamenteuses ou des suppléments vitaminiques et pourraient atteindre spécifiquement des cellules ou des organes cibles. Pour cela, de nombreux travaux sont menés sur la façon de les intégrer à des aliments dont le goût et la texture demeurent attrayants pour le consommateur, mais aussi sur les moyens de protéger les substances actives lors de leur transport vers les cibles, de permettre leur diffusion dans l'organisme et leur « relargage » au bon endroit, au bon moment.

Dans un autre domaine, des « laboratoires sur puces », composés d'une membrane dont chaque pore contient une protéine spécifique permettant de réaliser un test, sont à l'état de prototypes. Ces microlaboratoires devraient être capables de faire, en une fois, toute une série d'analyses, par exemple le bilan sanguin d'un patient à partir d'une microgoutte de son sang.

UN JOUR, DES « NANOMACHINES » ?

Il est d'ores et déjà possible de construire des systèmes, constitués de quelques dizaines de milliers d'atomes, capables d'« agir » au sein d'un dispositif mécanique. Certains sont utilisés couramment, tels ceux qui mesurent les accélérations et servent à déclencher les airbags de nos voitures. D'aucuns pensent que ces « actionneurs » pourraient se rétrécir et ne plus contenir qu'une centaine d'atomes. On parlerait alors de « nanomachines » qui pourraient manipuler la matière à l'échelle atomique. Toutes sortes d'applications sont envisageables, notamment dans le domaine de la médecine que nous venons d'évoquer, comme repérer les cellules cancéreuses et les détruire, ou encore réparer nos blessures corporelles.

Il faut toutefois noter que, dans la littérature, le terme de « nanomachine » évoque deux mondes qui sont pour l'instant disjoints. D'une part, le monde de l'ingénieur, peuplé de systèmes qu'on sait déjà produire ou qui sont envisagés à plus ou moins long terme : transistors, microdispositifs, actionneurs. D'autre part, le monde de la prospective ou de l'imaginaire, peuplé, lui, de nanomachines ayant les caractéristiques du vivant en termes d'autonomie, d'intelligence, de capacité à réaliser des tâches complexes. L'observation du monde biologique a en effet révélé l'existence d'une multitude de nanosystèmes naturels qui peuvent être considérés comme des machines moléculaires dans la mesure où ils agencent de l'information ou de la matière à l'intérieur de la cellule. On peut même parler de mécanismes « ultimes » au sens où leurs pièces sont des atomes individuels. Leurs capacités semblent extraordinaires : ils peuvent par exemple se diviser en plusieurs morceaux et se recombiner ensuite, chose assez inhabituelle pour les machines classiques.

Dans leur grande majorité, les chercheurs considèrent que la fabrication de nanomachines analogues à celles qu'on trouve dans le vivant n'est envisageable qu'à très long terme, ou qu'elle est impossible[1]. Reste que les progrès conjoints des nanotechnologies et des biotechnologies rapprochent toujours plus le monde artificiel du monde naturel. Les « astuces » développées par la nature pour que le vivant existe et se reproduise peuvent servir de modèles pour développer de nouvelles techniques. Cette évolution interroge à l'évidence la conception que nous nous faisons de notre propre humanité : quel taux d'« hybridation » souhaitons-nous établir entre technique et nature ? Entre ce qui est inerte et ce qui est vivant ? Si ces questions ne peuvent plus être esquivées, elles doivent être posées de manière sereine, et sans trop de préjugés « essentialistes ». Car, si la frontière entre matières inorganique, organique et organisée perd de sa netteté à l'échelle nanométrique, c'est justement parce que la divergence entre les êtres vivants, inertes ou techniques s'opère à une échelle supérieure.

---

1. Voir sur ce point l'excellent livre de Louis Laurent, *Comment fonctionnent les nanomachines ?*, EDP-Sciences, coll. « Bulles de sciences », 2009.

MAIS AUSSI DES APPLICATIONS PUREMENT QUANTIQUES

Mise sur pied dans les années 1920 par des hommes de génie, la physique quantique, en parfaite rupture avec les principes de la physique classique, rend compte du comportement des atomes et des particules, qui semble défier l'entendement. On la dit fort difficile d'accès. Elle ne peut en effet être sérieusement appréhendée sans un recours appuyé à l'abstraction, à des mathématiques qui peuvent effrayer. Pourtant, l'essentiel du bouleversement qu'elle a entraîné tient dans le simple fait qu'elle systématise l'une des quatre opérations élémentaires : l'addition ! Que dit en effet le « principe de superposition » qui gît au cœur de son formalisme ? Que, si a et b sont deux états possibles d'un système, $a + b$ est également un état possible du système. Aurait-on pu imaginer règle plus épurée ?

Entre autres choses, ce principe de superposition prédit que, dans certaines situations, deux particules qui ont interagi dans le passé ont des propriétés que leur distance mutuelle, si grande soit-elle, ne suffit pas à séparer. Tout se passe comme si elles demeuraient unies par un lien étrange : la mesure d'une caractéristique de l'une permet de connaître celle de l'autre, même si elles sont séparées de plusieurs kilomètres, voire de beaucoup plus. Les deux particules constituent alors un tout *inséparable*, au sens où ce qui arrive à l'une des deux, où qu'elle soit dans l'univers, est irrémédiablement « intriqué » avec ce qui arrive à l'autre particule dans un autre coin de l'univers, comme si une sorte de lien secret continuait de les connecter l'une à l'autre. Aujourd'hui parfaitement établie sur le plan expérimental, cette « non-séparabilité » est sans aucun doute la caractéristique la plus profonde et la plus originale du monde quantique. Son statut épistémologique demeure l'objet d'incessantes discussions, mais cela ne l'empêche nullement d'avoir des applications pratiques tout à fait fascinantes. Nous en citerons trois : la cryptographie quantique, la téléportation d'états physiques et (plus incertain) l'ordinateur quantique.

Une cryptographie absolument sûre

La cryptographie consiste en l'émission de messages uniquement déchiffrables par l'émetteur et par le destinataire. Imaginons que deux individus, Paul et Jules par exemple, partagent un ensemble de paires de particules intriquées. Cela signifie qu'aucune des deux particules ne peut se voir attribuer un état individuel bien défini (seule la paire qu'elles forment en a un), mais toute mesure faite sur l'une précise sur-le-champ l'état de cette particule *en même temps* que celui de l'autre particule (par exemple, si la mesure faite sur la première particule donne +1, l'autre particule est aussitôt mise dans l'état correspondant à la valeur −1, et réciproquement). Paul et Jules peuvent donc, en effectuant des mesures sur chacune de leurs particules, obtenir deux suites parfaitement aléatoires de variables, qui pourront s'écrire comme des suites de −1 et de 1. Les particules étant intriquées, ces deux suites sont parfaitement corrélées l'une à l'autre et peuvent donc être ramenées à une seule suite, identique pour Paul et pour Jules, qui pourra être réécrite comme une succession de 0 et de 1 (en faisant correspondre la valeur de mesure −1 à 0). Ils obtiendront ainsi une « clé cryptographique » idéale pour coder des messages secrets. Jules, par exemple, pourra l'utiliser pour coder un message numérisé sous forme d'une succession de 0 et de 1. Il l'enverra ensuite à Paul, qui utilisera pour le décoder la clé que Jules et lui sont les seuls à connaître. Le point crucial est que, dans ce cas, les lois de la physique quantique assurent qu'aucun espion, si habile ou si génial soit-il, ne pourra intercepter la clé quantique au moment où Paul et Jules échangent leurs particules intriquées, du moins sans que l'un et l'autre s'en aperçoivent. La faisabilité d'une telle « cryptographie quantique », intrinsèquement sûre, a été récemment démontrée, grâce à l'utilisation de photons intriqués transmis par fibres optiques.

Téléportation... d'information

L'intrication a également ceci de spectaculaire qu'elle permet de « téléporter » une information quantique, c'est-à-dire de la transporter à distance grâce à une sorte de « fax quantique ». Supposons à nouveau que Paul et Jules disposent de paires de photons intriqués et donnons à Paul un photon supplémentaire dans un état quantique bien défini. Comment Paul peut-il transmettre à Jules l'information associée à ce photon ? Très simplement (enfin, si l'on veut[1]). Précisons d'abord que Paul ne peut pas détermi-

---

1. La solution de ce problème en réalité très difficile a été trouvée en 1993 par Charles Bennett, Gilles Brassard, Claude Crépeau, Richard Jozsa, Asher Peres et Bill Wootters (*Phys. Rev. Lett.*, 70, 1895 [1993]).

ner l'état du photon qu'il souhaite faire connaître à Jules puisque toute mesure faite sur ce
photon détruirait une partie de l'information
qu'il porte. Dès lors, Paul n'a plus qu'une solution : coupler ce photon avec le photon appartenant à la paire intriquée qui est également en sa
possession, puis effectuer une mesure locale sur
l'ensemble ainsi formé. Cette opération a une
répercussion instantanée sur l'autre photon de la
paire intriquée détenu par Jules : ce photon se
retrouve aussitôt mis dans un état qui dépend
du résultat aléatoire obtenu à l'issue de la
mesure faite par Paul. Il suffit ensuite que Paul
communique à Jules par téléphone le résultat
qu'il a obtenu pour que Jules puisse, en effectuant une opération élémentaire sur son photon, mettre celui-ci dans l'état exact qu'avait le
photon supplémentaire de Paul. Il y a donc eu
téléportation de l'information portée par ce
photon, de façon absolument conforme. Mais
d'information seulement. En effet, dans cette
opération, aucun objet proprement dit n'a été
transporté dans l'espace. Simplement, les propriétés physiques d'une particule ont été com-
muniquées à distance à une autre particule identique. Plusieurs versions de cette expérience de

« fax quantique[1] » ont déjà été réalisées par différentes équipes.

Un jour, l'ordinateur quantique ?

D'autres perspectives vertigineuses s'ouvrent dans le domaine du calcul informatique, même si rien ne permet aujourd'hui d'affirmer qu'elles aboutiront un jour à des réalisations concrètes. De quoi s'agit-il ? Dans nos ordinateurs actuels, les cases mémoire sont constituées de *bits* classiques, qui ne peuvent prendre que deux valeurs exclusives l'une de l'autre, soit 0, soit 1. Ces bits classiques sont donc comme les interrupteurs muraux nous servant à allumer nos plafonniers : ils sont soit en position « allumé » (1), soit en position « éteint » (0). Leur effet mémoire vient de ce que, une fois mis dans l'une ou l'autre configuration possible, ils la conservent, jusqu'à

---

1. Mais, contrairement à ce qui se passe avec un fax classique, qui maintient le document original inchangé, la téléportation quantique détruit l'original de l'information qu'elle transporte dans l'espace. En effet, dans l'opération que nous avons résumée, le photon manipulé par Paul perd l'information complète de son état quantique initial, qui devient l'état final du photon de Jules. Il n'y a donc pas copie au sens propre du terme, mais déplacement (transfert) de l'information portée par une première particule vers une autre particule identique située en un autre point de l'espace.

ce que leur contenu soit modifié pour les besoins des calculs à effectuer. En pratique, ces bits classiques sont constitués de systèmes physiques possédant deux états stables. Il peut s'agir d'un circuit électrique dans lequel un courant peut circuler dans un sens ou dans l'autre, ou bien d'une zone sur une couche magnétique qui peut être aimantée selon une direction ou la direction opposée.

Mais que se passerait-il si l'information était portée par des objets « quantiques », auxquels on peut donc appliquer le principe de superposition ? Elle pourrait alors, de ce seul fait, être manipulée sous forme d'états superposés. On disposerait ainsi de « bits quantiques ». Qu'auraient-ils de fondamentalement différent ? D'abord, au lieu de prendre seulement les valeurs 0 ou 1, ils pourraient être mis dans n'importe quelle superposition de ces valeurs, c'est-à-dire dans une infinité de positions. Ensuite, contrairement à celle contenue dans un bit classique, l'information d'un bit quantique n'est pas bien déterminée : la seule chose que l'on puisse connaître, c'est la probabilité de le trouver à l'issue d'une mesure soit dans l'état 0, soit dans l'état 1. Il y a une décennie, dans la continuité des études lancées dès le début des années 1980 par le prix Nobel de physique Richard Feynman, des chercheurs ont démontré qu'un ordinateur fonctionnant avec de tels bits quantiques (en bref, un « ordinateur quantique ») serait en théorie capable de calculer de façon « massivement parallèle » : il effectuerait *en même temps* toutes les opérations correspondant à toutes les valeurs que peuvent prendre les bits quantiques. Grâce à de nouveaux algorithmes de calcul, de telles machines auraient ainsi une efficacité beaucoup plus élevée que celle des machines actuelles pour certains types d'opérations, par exemple la factorisation des très grands nombres.

Certes, aucun processeur quantique véritable n'a encore vu le jour, mais plusieurs équipes ont déjà démontré la validité des concepts du calcul quantique grâce à des expériences utilisant pour bits quantiques des objets microscopiques, tels des ions piégés dans des cavités ou des spins nucléaires dans des molécules en solution. L'utilisation d'états superposés ou intriqués dans le domaine du calcul scientifique n'en est donc qu'à ses débuts. Mais, en quelques années, elle est devenue un domaine de recherche très actif, à la frontière de la physique et de l'informatique.

Toutefois, le succès de ces études dépendra de la capacité des chercheurs à relever un défi « de taille » (c'est le cas de le dire) : ils devront trouver des ruses leur permettant de préserver, dans des systèmes de plus en plus gros, les lois quantiques, alors même que celles-ci ont tendance à être très rapidement brouillées lorsque la taille des systèmes augmente. Ils sont certes déjà parvenus à intriquer les uns aux autres une dizaine de photons ou d'ions, mais il faudrait pouvoir le faire avec au moins cent mille...

Une prolifération de prophéties

Du fait de leur nouveauté proclamée, les nanotechnologies donnent lieu à un foisonnement d'analyses et de commentaires. Leur seule invocation semble capable d'étayer toutes sortes de discours et d'induire les scénarios les plus contradictoires : on les accole ici à d'effrayantes prophéties, là à de séduisantes promesses. Ainsi les nanotechnologies sont-elles associées tantôt à l'idée de *salut* (avec, en ligne de mire, un « homme nouveau » débarrassé des soucis liés à la matérialité du corps), tantôt à l'idée de *catastrophe*.

Dans le premier cas, on clame qu'elles donneront à l'idée de progrès l'occasion d'une rédemption automatique et radicale, et on avance des arguments qui tendent à profiter, et du beurre de l'enthousiasme le plus débridé, et de l'argent du beurre de la caution scientifique. Comme si la science et la technologie n'étaient plus des activités à l'issue toujours incertaine, mais des processus quasi magiques et autonomes à l'intérieur d'une boîte noire, dont l'issue, présentée comme certaine, réalisera tous les espoirs.

Dans le second cas, on avance des arguments qui tendent cette fois à profiter, et du beurre de la paranoïa la plus alerte, et de l'argent du beurre de la même caution scientifique, comme s'il n'y avait plus de place pour le jeu politique ou l'agir démocratique[1].

Ces deux « camps », celui du salut et celui de la catastrophe, en apparence opposés, s'accor-

---

1. Il arrive que ladite caution scientifique, dans un cas comme dans l'autre, soit toute relative ou présentée de façon rocambolesque. En la matière, le record mondial du syllogisme mal contrôlé appartient sans doute à un célèbre sociologue qui déclara, doctement, devant des millions de téléspectateurs : « Ce que les scientifiques ne vous disent pas, c'est qu'en inventant le nanomètre ils ont aussi inventé la nanoseconde. Or la nanoseconde n'est pas une durée humaine. Donc, les nanotechnologies ne sont pas des technologies humaines. » Sans commentaire.

dent toutefois pour penser que les nanotechnologies seront capables de transgresser les limites corporelles et de collaborer à l'estompement de la distinction entre nature et artifice. Finalement, que l'on soit technoprophète ou technosceptique, la prémisse est la même : les nanotechnologies nous conduiront à un monde qui n'aura plus grand-chose en commun avec celui dans lequel nous vivons.

Les esprits les plus neutres parlent simplement, eux, d'une nouvelle « révolution industrielle », ou d'une « mutation radicale » dans l'histoire des technologies. Il faut toutefois préciser le sens des mots : cette « révolution » aura des caractéristiques différentes de celles qui l'ont précédée, comme l'invention de la machine à vapeur, la diffusion du courant électrique ou la création de l'électronique et des ordinateurs. En effet, elle s'exprimera plutôt de manière diffuse et peu apparente : compte tenu de leur échelle, les nanotechnologies ne vont pas déboucher sur un ou quelques dispositifs spécifiques et emblématiques (comme le moteur à explosion ou l'ampoule électrique), mais vont être intégrées, en faible quantité, dans un très grand nombre de produits déjà existants pour les améliorer.

Arguant qu'il est difficile de trouver dans des chaussettes antibactériennes, des ciments ou des produits d'emballages les prémices d'une civilisation nouvelle, d'aucuns considèrent que les nanotechnologies ne correspondront qu'à une simple évolution technologique. Mais c'est sans doute faire fi du fait que les potentialités qu'elles offrent sont si vastes qu'elles déboucheront probablement, à l'image de l'informatique, sur des pratiques et des usages nouveaux, aujourd'hui difficiles à prévoir, qui changeront certainement les modalités de nos vies professionnelle, sociale, culturelle...

Certains magazines américains n'hésitent d'ailleurs même plus à annoncer une percée qu'ils ont baptisée le *small bang*[1], qui serait comme une réplique technologique au big bang dont notre univers physique est issu. Ce small bang adviendrait comme le résultat d'une convergence technologique généralisée, d'une symbiose détonante entre les progrès de l'informatique, des nanotech-

---

1. Cette expression a été inventée par ETC (Érosion, Technologies et Concentration), une ONG canadienne qui souhaite mettre fin aux crises sanitaires liées aux technologies (amiante, vache folle...). Voir « No small matter II : The case for a global moratorium », ETC, 2003. http://www.etcgroup.org/en/node/165.

nologies, de la biologie et des sciences cognitives (BANG est d'ailleurs l'acronyme de Bits, Atomes, Neurones et Gènes). Il devrait ouvrir grandes les portes à une « posthumanité » dont nos ridicules limites humaines peinent à concevoir l'étendue des facultés, notre seule gloire étant de concourir à l'avènement de cette nouvelle espèce qui portera sur nous un regard de pitié condescendante et incrédule.

Plus que n'importe quel autre objet technique, les nanotechnologies produisent un « effet de halo[1] », pour parler comme Gilbert Simondon : elles rayonnent autour d'elles une lumière symbolique qui dépasse leur réalité propre et se répand dans leur entourage, si bien que nul ne les perçoit telles qu'elles sont vraiment, tout entières contenues dans leurs limites objectives, matérielles, utilitaires ou encore économiques. Dans ce contexte, il est difficile de trouver les moyens qui évitent de succomber aussi bien aux facilités de la technophobie, toujours tentante, qu'aux séductions de la propagande opiacée ou du management exclusivement promotionnel.

---

1. Gilbert Simondon, *L'Imagination et l'Invention* (1965-1966), Chatou, Éditions La Transparence, 2008, p. 234.

... et de nouvelles questions

Bien sûr, les discours futuristes, y compris les plus enthousiastes, inquiètent une partie de ceux qui les entendent : les nanotechnologies ne vont-elles pas modifier profondément nos corps, notre environnement, notre rapport à la nature, nos relations à autrui ? Et ne nous obligeront-elles pas à préciser bientôt ce qui, dans l'homme, doit être considéré comme intangible, et ce qui peut être amélioré ou complété ? Bien des débats traitent de ces questions, qui arriment immédiatement – et peut-être *trop immédiatement* – les nanosciences au champ des valeurs. On perçoit à ce propos une différence assez nette entre les États-Unis et l'Europe. Le projet américain vise plutôt l'augmentation des performances de l'individu (*human enhancement*) : il s'agit de dépasser les limites que l'évolution naturelle par sélection a fixées à l'espèce humaine pour passer à une évolution planifiée, délibérée et basée sur la technologie. Le projet européen se présente, lui, comme plus collectif, il vise la réparation des corps abîmés et non l'augmentation des performances des corps sains, il propose que les technologies s'adaptent aux demandes sociales, aux buts de la société européenne, et qu'elles tiennent compte des valeurs de cette société, en particulier pour le développement durable et la solidarité. Ces différences n'ont toutefois pas d'impacts très nets sur les débats en cours : en Europe comme aux États-Unis, les nanotechnologies suscitent une série d'interrogations toutes fondés sur le renversement des promesses de la convergence en nouveaux problèmes, voire en visions d'horreur. Citons, sans être exhaustifs :

• La remise en cause de démarcations immémoriales et quasi « sacrées », comme la frontière entre nature et artifice, voire entre vivant et non-vivant : tandis que l'ADN, la « molécule de la vie », se trouve désormais utilisée comme matériau auxiliaire dans la fabrication des transistors en électronique, de plus en plus d'objets techniques investissent symétriquement la biologie propre de l'*Homo sapiens*. Se pose dès lors la question d'une éventuelle transgression des lois de la nature. L'artificialisation de la nature n'a certes pas attendu la venue des nanotechnologies pour apparaître (la fleur de serre est déjà un être vivant artificialisé dont l'existence dépend de la technique humaine). Mais, tant que la frontière entre nature et artifice était déterminée de façon précise, une violation de cette frontière ne présentait pas, en fin de compte, de difficulté éthique particulière puisque l'on savait à quel état des choses on pouvait souhaiter revenir. Mais qu'en sera-t-il lorsque la ligne de séparation entre notre intériorité corporelle et le milieu dans lequel nous vivons et agissons (et qui nous est extérieur) deviendra difficile à repérer ? Après avoir dopé notre mémoire et nos muscles, reculé l'âge de notre vieillesse et de notre mort, jusqu'à quel point devons-nous accepter d'augmenter davantage nos capacités par l'insertion de machines au sein de nos corps ? Les nanotechnologies apparaissent comme un instrument de plus, et d'une précision inégalée, permettant à l'homme de décider des contours de sa propre nature. Il lui reviendra de faire preuve de discernement et de lucidité.

• La crainte qu'une civilisation où l'électronique devient portative et invisible ne débouche sur une société de contrôle de l'information sur la vie privée des citoyens. On assisterait à une sorte d'indexation exhaustive du monde, des objets comme des êtres vivants, en permanence suivis par leur ombre digitale : on ne pourrait plus vivre sans être surveillé en permanence par les rets de plus en plus affinés et allant toujours s'étrécissant d'un maillage électronique invisible et omniprésent. Comme dans *Minority Report*, le film de Spielberg inspiré par une nouvelle de Philip K. Dick, la tendance de notre société consisterait même à deviner les intentions (bienveillantes ou malveillantes) des personnes avant leur réalisation. Comment garantir, dans pareil contexte, le droit de pouvoir être seul, ou d'être dans une intimité totale et choisie ? Comment garantir le respect de la « part cachée » de chacun d'entre nous à l'ère de la transparence informatisée ? Comment garantir la liberté individuelle ? Se pose en outre la question de savoir si une telle situation n'entraînerait pas une modification des comportements : les personnes, se sachant en permanence potentiellement tracées, écoutées ou observées, ne risqueraient-elles pas de s'autoformater en fonction d'une norme sociale imposée de fait par la société de surveillance ? À la fin de l'année 2009, la CNIL allait jusqu'à évoquer à ce propos le risque d'un possible « clonage mental[1] ».

---

1. Voir le cahier d'acteur de la CNIL pour le débat public, CNIL, CPDP, 2009.

• La crainte de l'invasion, voire de la coloni-
sation du corps humain par la machine, notamment au travers des interfaces cerveau-machine et
cerveau-ordinateur promis par les neurosciences
et la nanomédecine. Certes, cela se fera dans un
but curatif dans un premier temps, mais qui
sait si on n'arrivera pas bientôt au *cyborg*, ou
encore à un contrôle de la pensée ?

• La crainte d'un monde à deux vitesses,
voire à deux degrés d'humanité, les riches béné-
ficiant des avancées technologiques pour augmenter leurs performances physiques et intellectuelles tandis que les pauvres continueront de
vivre comme des *Homo sapiens* non modifiés.
N'allons-nous pas ainsi faire advenir une humanité techniquement clivée, comprenant des êtres
aux capacités d'empathie sectorisées et à la com-
passion circonscrite ?

Toutes ces craintes, bien sûr, se fécondent
mutuellement, s'associent, s'amplifient. À la fois
globalisées et autonomisées, les nanotechnologies
incarnent aux yeux des plus critiques une volonté
plus ou moins cachée et plus ou moins centralisée
d'asservissement global de nos vies, de nos âmes,
de la société, de l'environnement. D'aucuns invo-
quent un « nanopouvoir », comme Michel Foucault

a pu parler de « biopouvoir » (dans *Surveiller et punir*).

Le fait qu'en toutes ces matières notre savoir prévisionnel reste en deçà de notre savoir technique donne à ces questions une envergure toute philosophique, et même « sociétale », comme il semble qu'il faille dire désormais. Comment allons-nous les traiter ?

3

Nanotechnologies
et démocratie

*Nul ne sait si les hommes se satisferont
demain de ce que la société leur offrira.
Nul ne sait comment s'exprimera leur
insatisfaction.*

Raymond ARON

Les technologies, quelles qu'elles soient, ne produisent pas seulement les instruments qui transforment notre vie, elles modifient la réalité qui nous entoure, réorganisent la vie sociale, le mouvement de celle-ci s'emballant depuis la révolution industrielle. Elles pourvoient également en mythes, en récits, en savoirs qui ont une fonction de médiation entre le monde de la technique et nous-mêmes. Cette médiation n'est pas nécessairement vecteur d'acceptation sociale : par essence, l'imaginaire n'est pas là pour intégrer une technique à une société. Il a plutôt un rôle de transformation symbolique : il amplifie le sens de la technique, la connote affectivement, l'enveloppe d'images plus ou moins positives. De nos jours, cette polarisation affective des objets techniques semble s'intensifier alors même que la technologie devient de plus en plus opaque pour les mortels communs que nous sommes. Cette évolution n'est pas sans effet sur les discussions qu'engendre l'émergence des nanotechnologies.

Dès leur avènement médiatique dans les années 2000, les nanosciences ont suscité de très nombreux débats dits « citoyens », organisés par des associations, des ONG et parfois des États[1]. En France, un débat public vient de se tenir à l'échelle nationale : demandé lors du Grenelle de l'environnement en 2008, plusieurs ministères ont saisi la Commission nationale du débat public pour l'organiser entre octobre 2009 et février 2010. Toutes ces initiatives témoignent de la montée en puissance des nouvelles technologies sur la scène politique, en particulier des nanotechnologies. Néanmoins, les obstacles auxquels s'est heurté le débat national français illustrent la difficulté de l'exercice : la complexité du sujet et les enjeux qui l'accompagnent sont tels

---

1. Pour n'en citer que quelques-uns : le débat du Danish Board of Technologies (DBT) en janvier 2004, le NanoJury anglais de l'été 2005, Nanoviv, organisé en 2006 par Vivagora en France, Nanopodium, organisé tout récemment aux Pays-Bas.

qu'on peine à atteindre le niveau d'une véritable argumentation et pas seulement celui de l'exemple, du témoignage ou de l'idéologie.

Les scientifiques en porte à faux

L'envergure sociétale des questions que posent les nanotechnologies produit toutes sortes d'effets. Elle contribue notamment à faire que l'expertise scientifique elle-même se trouve mise en délibération, les médias jouant le rôle de caisse de résonance, et parfois même d'arbitre. Les oppositions, les contradictions, les dissidences scientifiques y sont en effet valorisées : « *No conflict, no paper* », entend-on dans certaines rédactions. Dès lors, ce n'est pas parce qu'un énoncé est scientifiquement faux qu'il ne faudrait pas y prêter attention. Dans ce contexte, les effets rhétoriques jouent à plein : celui qu'on écoute ne sera pas nécessairement le plus savant ou le plus objectif, le plus expert donc, mais le plus beau parleur, le plus médiatique et, dans le meilleur des cas, celui qui apparaît comme le plus sage. Le savoir ne semble plus suffire à se légitimer lui-même.

L'expert peut également se trouver disqualifié au motif que les questions qui se posent ne sont pas des questions exclusivement scientifiques ou techniques, mais des questions auxquelles on ne peut vraiment répondre qu'en se référant à un projet de société, voire à un projet de civilisation, ou – mieux encore – à ce que Dominique Lecourt appelle « une vision globale de l'être humain[1] ».

On me permettra de raconter une anecdote personnelle : j'ai été très étonné de voir, dans les débats auxquels j'ai pu assister, à quel point la posture du scientifique pouvait se trouver quasiment renversée par rapport à ce qu'elle a pu être : le chercheur, qui a longtemps fait figure de rebelle, de créateur libre et insoumis, incarne désormais aux yeux d'une partie du public l'asservissement au « système » de la technoscience couplée au marché ; au lieu d'apparaître comme le représentant d'un autre « ordre », d'une logique différente de celle du capitalisme, il est soupçonné d'alimenter ce dernier et d'être entretenu par lui ; il participerait même, murmure-t-on parfois, à un complot généralisé visant à « fli-

---

1. Dominique Lecourt utilise cette expression dans sa présentation de l'Institut Diderot (http://www.institutdiderot.fr/).

quer » la société tout entière, à enrichir les capitalistes et à empoisonner les gens. Tout se passe en somme comme si l'on voulait que les scientifiques aient désormais un rapport malheureux à ce qu'ils font.

Beaucoup ont d'ailleurs perdu de leur autorité dans ces débats : « S'ils disent ce qu'ils disent, ce n'est pas parce que c'est vrai, mais parce qu'ils ont intérêt à le dire. » On voit là les limites de la démocratie participative, lorsque l'intervenant, s'il est scientifique ou expert d'une partie du sujet en discussion, est jugé suspect – voire illégitime – du fait même de son statut de « sachant ». Il est donc urgent de se demander ce que devient l'autorité symbolique de la science sous l'empire du « technomarché ». Contrairement à ce qui est souvent sous-entendu, l'expertise scientifique n'a rien à voir avec l'idéologie scientiste. Elle vise simplement à souligner l'importance des connaissances dans la réorganisation de la société impliquée par les progrès des sciences et des technologies. Constatant que ce n'est certainement pas le couple politique-médias qui pourrait garantir une évaluation juste des sciences et des technologies, il importe de rendre à l'expert son statut, qui n'est pas celui d'un intellectuel généraliste ou d'un grand témoin, mais celui d'un savant indépendant. Ses connaissances ne doivent pas servir à cautionner une politique ou à donner des feux verts aux décideurs, mais à introduire de la perplexité dans le monde, à modifier les termes du débat politique.

Refonder un projet de civilisation ?

C'est un fait : le projet scientifique n'apparaît plus enchâssé dans un projet de civilisation. Toute innovation est désormais interrogée pour elle-même, et non plus en fonction d'un horizon plus général qu'elle permettrait d'atteindre ou d'entrevoir.

Depuis qu'il a exhibé ses produits de vidange et ses « effets pervers », le concept de progrès a perdu de son aura. On en parle comme on parle du Tour de France : le progrès, « c'était mieux avant ». Il y a eu l'horreur d'Hiroshima et de Nagasaki ; le climat change, la mer monte, nos vaches sont devenues cannibales et tout cela est mis sur le dos de la science ; une certaine « rationalité », étendue à toutes les activités humaines, est devenue l'alibi d'une domination socio-économique des plus brutales, et elle conduit tristement à rechercher en toutes choses la voie la plus efficace à court terme ; l'écart entre les nantis et les pauvres se creuse toujours plus : tandis que les uns se prélassent sur des yachts en rêvant qu'on bricole les gènes de leurs enfants, d'autres, dans une rue insalubre, essaient d'empêcher qu'un nourrisson atteint de diarrhée ne meure dans la journée... Dans un tel contexte, chaque fois qu'une nouvelle possibilité technologique se présente, ce sont deux logiques, presque deux métaphysiques qui s'affrontent : l'une se réduit au calcul comparatif des coûts et des bénéfices ; l'autre, attentive aux dégâts de cette réduction, cherche à reconstruire une approche du monde où la rationalité, comprise comme ce qui est raisonnable, imposerait des limites aux conclusions des calculs et aux ambitions technologiques pour prendre en compte des considérations qualitatives.

Ces multiples signaux nous obligent à repenser l'idée de progrès, à lui redonner collectivement un sens, aux deux acceptions du terme : il faut d'une part le redéfinir, d'autre part l'associer à une direction explicite, qui soit si possible désirable. De nos jours, le progrès technologique est principalement considéré comme un facteur crucial de la croissance économique, alors même que celle-ci apparaît comme de moins en moins viable à long terme en raison des limites des ressources énergétiques et des déséquilibres écologiques qu'elle produit. Mais, à rebours de cette conception, le progrès technologique ne pourrait-il pas représenter ce qui vient compenser les ravages de la croissance sauvage en améliorant les rendements énergétiques et en ralentissant l'épuisement des réserves ? Reste qu'il devient urgent de formuler publiquement les fins et les choix de société susceptibles d'orienter les politiques en matière d'éducation, de technologie, d'environnement, d'économie. La technologie ne saurait représenter l'unique horizon du progrès humain, car elle ne garantit nullement à elle seule un progrès collectif de l'humanité. D'autres facteurs doivent donc être pris en considération et discutés, par exemple le degré d'autonomie dont les hommes disposent au sein du système qu'ils forment avec leur environnement technologique.

Des tentatives de réponses à ces questions se font jour, des discussions ont lieu, mais elles ne sont guère fluides. Comme nous l'avons rappelé, le débat national sur les risques et sur les conditions de développement des nanotechnologies s'est déroulé dans d'assez mauvaises conditions, si mauvaises même qu'on ne peut pas dire qu'il ait vraiment eu lieu. Certains ont parlé de « fiasco ». Qu'ils soient sensibles à une certaine esthétique du tapage ou qu'ils partent des prémisses que le débat ne serait pas un vrai débat, mais un simple exercice de « pédagogie » qui ne changerait rien ou pas grand-chose aux décisions d'investissement (« les nanos sont déjà là »), les opposants radicaux l'ont à plusieurs reprises empêché de se tenir[1] – ce qui, au mieux, est stérile et, au pire, la meilleure manière d'assurer la vérité de leurs prémisses.

La question est : pourquoi est-il si difficile de débattre calmement et de façon factuelle des nanotechnologies, alors que le besoin s'en fait sentir dans la société et jusqu'au plus haut niveau de l'État ? D'une part, parce que la problématisation des valeurs dans la « société du risque » qui est la nôtre appelle sans doute d'autres formes de concertation et de construction des décisions que celle du débat forcément orienté vers la polémique. D'autre part, parce que le statut de la science dans la société est devenu foncièrement ambivalent.

---

1. Cela a d'abord été le cas lors de la réunion du débat public qui s'est tenue à Grenoble le 1er décembre 2009, et qui a dû être annulée après l'intervention bruyante d'une centaine d'opposants. Le même type de scénario s'est répété par la suite.

L'ambivalence du statut actuel de la science et des techniques

En quoi consiste cette ambivalence ? Elle vient de ce que, d'une part, la science nous semble constituer, *en tant qu'idéal*, le fondement officiel de notre société, censé remplacer l'ancien socle religieux : nous sommes gouvernés, sinon par la science elle-même, du moins *au nom de quelque chose qui a à voir avec la science.* C'est ainsi que, dans toutes les sphères de notre vie, nous nous trouvons désormais soumis à une multitude d'évaluations, lesquelles ne sont pas prononcées par des prédicateurs religieux ou des idéologues illuminés : elles se présentent désormais comme de simples jugements d'« experts », c'est-à-dire sont censées être effectuées au nom de savoirs et de compétences de type scientifique, et donc, à ce titre, impartiaux et objectifs. Par exemple, sur nos paquets de cigarettes, il n'est pas écrit que fumer déplaît à Dieu ou compromet le salut de notre âme, mais que « fumer tue ». Le salut de l'âme, objet par excellence du discours théologique, s'est peu à peu effacé au profit de la santé du corps qui, elle, est l'objet de préoccupations scientifiques. En ce sens, et non sans arrogance, nous considérons qu'une société ne devient vraiment moderne que lorsque le prêtre et l'idéologue y cèdent la place à l'expert, c'est-à-dire lorsque le savoir scientifique et ses développements technologiques ou industriels sont tenus pour le seul fondement acceptable de son organisation et de ses décisions.

Mais, d'autre part – et c'est ce qui fait toute son ambiguïté –, la science, *dans sa réalité pratique*, est questionnée comme jamais, contestée, remise en cause, voire marginalisée. Elle est à la fois objet de *désaffection,* de *méconnaissance effective,* et elle subit toutes sortes d'attaques, d'ordre philosophique ou politique. Il est utile de revenir brièvement sur ces différentes tendances.

LA « DÉSAFFECTION » DES JEUNES
POUR LES ÉTUDES SCIENTIFIQUES

On observe, dans presque tous les pays développés, que les étudiants s'engagent de moins en moins dans les carrières scientifiques. Il y aurait comme une panne de la *libido sciendi* chez les jeunes générations[1]. Ce phénomène, s'il avait vocation à durer, pourrait mettre en péril le rayonnement et la crédibilité des laboratoires de recherche, ainsi que la compétitivité des entreprises, sans parler de la pénurie d'enseignants qualifiés. À certains égards, et toutes proportions gardées, la situation actuelle de la science se rapproche de celle de l'armée française avant la Seconde Guerre mondiale, avec les meilleurs élèves de Saint-Cyr qui se destinaient à l'intendance.

À l'issue d'une grande enquête, l'OCDE a publié un rapport en 2005 sur le sujet[2] : la baisse d'intérêt des jeunes pour les études et les carrières scientifiques ne fait plus aucun doute. Elle concerne tous les pays développés, et pas du tout les pays émergents. Elle frappe particulièrement les disciplines classiques, la physique, la chimie et les mathématiques.

Le rapport insiste sur un sujet d'inquiétude supplémentaire : la tendance d'une fraction croissante des têtes de classe de la fin du secondaire à

---

1. Voir le rapport du CAS, par Étienne Klein et Claude Capelier, *Les Jeunes et la Science. Faire face à la crise des vocations scientifiques*, La Documentation française, note n° 5, janvier 2007.
2. *Declining enrolment in S&T Studies. Is it real ? What are the causes ? What can be done ?*, OCDE, 2005.

tourner le dos aux études scientifiques universitaires. La complainte est enregistrée dans de nombreux pays. Dans le cas de la France, les chiffres sont les suivants : en 1995, 79 % des bacheliers scientifiques optaient pour des études scientifiques ou technologiques ; en 2000, ils n'étaient plus que 68 %.

LA SCIENCE, OBJET DE MÉCONNAISSANCE
EFFECTIVE

Nous prétendons vivre dans une « société de la connaissance », mais il serait certainement plus juste de dire que nous vivons dans une société de l'usage de technologies : nous utilisons avec aisance les appareils issus des nouvelles technologies mais sans bien savoir les principes scientifiques dont elles découlent. On pourrait même dire des nouvelles technologies que, par leur facilité d'usage, elles sont devenues les produits dérivés, mais *masquants*, de la science : un enfant de cinq ans les manipule aussi aisément qu'un ingénieur professionnel. Par ailleurs, on est en droit de se demander si notre besoin compulsif de produits « innovants » ne vient pas ronger notre

appétit de savoir, par un effet quasi mécanique :
dès lors que nous réclamons de l'utile, et seulement lui, dès lors que nous exigeons que tout
« serve », ce que la recherche a permis et permet
de découvrir sur le monde nous préoccupe moins
que ce qui découle d'elle ou ce qu'elle permet de
faire. Plutôt que de prêter attention à ses percées
fondamentales mais réputées inutiles, à ses
concepts profonds mais jugés trop subtils, nous
préférons consommer ses innombrables retombées prosaïques.

Ce phénomène n'est pas sans incidence
politique. Il est en effet difficile de nier qu'une
certaine inculture scientifique pourrait devenir
intellectuellement et socialement dangereuse : elle
empêcherait de fonder une épistémologie rigoureuse de la science contemporaine, favoriserait
l'emprise des gourous de toutes sortes et rendrait
délicate l'organisation de débats sérieux sur
l'usage que nous voulons faire des technologies.
Gaston Bachelard aimait à dire que « la culture
scientifique nous demande de vivre un effort de
la pensée ». Sans doute est-ce cet effort-là qui
doit être davantage encouragé. On ne saurait toutefois se montrer aussi sévère qu'Einstein lorsqu'il
disait : « Ceux qui utilisent négligemment les

miracles de la science et de la technologie, en ne les comprenant pas plus qu'une vache ne comprend la botanique des plantes qu'elle broute avec plaisir, devraient avoir honte. » Car il y a comme un « durcissement sportif » de la culture scientifique : il est devenu difficile de se faire une bonne culture à la fois sur la physique des particules, les minitrous noirs, les OGM, la génétique, le nucléaire, le changement climatique ou la virologie. Le langage des sciences (surtout des « dures ») est une sorte de chinois. Or, comme le disait Lacan, « tout le monde n'a pas le bonheur de parler chinois dans sa propre langue ».

De fait, si l'on voulait que les citoyens participent aux affaires publiques en étant vraiment éclairés sur tous les sujets concernés, il faudrait que chacun ait le cerveau de mille Démosthène, de mille Aristote, de mille Einstein... Inutile de rappeler que cette faiblesse de notre équipement intellectuel vaut pour tout le monde : philosophes, femmes et hommes politiques, journalistes et experts compris. La prétendue opposition entre culture et technique mériterait sans doute d'être davantage inquiétée. Il est devenu urgent de réinventer une « culture technique et scientifique » qui permette aux citoyens de s'orienter face aux défis du développement technologique qui sont à l'horizon de notre temps. Nul doute qu'une intelligence de « première main », même limitée, même drastiquement incomplète, changerait considérablement la donne.

Se pose donc la question de savoir quelle portion de la science peut – ou doit – être transformée en véritable « bien public ». Tout est-il transmissible, ou y a-t-il des limites à ce que la science puisse être l'affaire de tous ? Ces questions peuvent choquer, car elles secouent la croyance commune en la transparence de la communication : l'un des axiomes implicites de la démocratie est que plus le débat est public, et plus on a de garanties que le partage a bien lieu (qu'il s'agisse de partage du pouvoir, du savoir, de l'information, des responsabilités). Mais est-ce bien ainsi que les choses se passent ? La circulation des savoirs au sein du corps social semble être devenue plus compliquée que ce que l'on entend habituellement par « vulgarisation » : l'explication pédagogique des résultats n'épuise pas l'ensemble des situations où les savoirs, le rôle des spécialistes, le statut d'expert sont tour à tour sollicités, controversés ou plébiscités de façon ambiguë ; le lien science-société n'est plus une droite descendante – voire condescendante : il emprunte désormais de multiples circuits qui compliquent, détournent, transforment le flux unidirectionnel de jadis.

Se pose en outre, à l'évidence, le problème de la « gouvernance » – mot à la mode – dans une société démocratique au sein de laquelle les technologies jouent un rôle à la fois croissant et diffus. Sa résolution passe d'abord par une éducation de qualité, où les outils permettant d'argumenter et d'avoir des repères scientifiques et techniques essentiels à la réflexion sont prodigués de manière adéquate (à notre avis, cette mission incombe prioritairement aux enseignants, qui savent transmettre un contenu sans jouer le rôle de gourous). Elle passe également par une réérotisation de l'acte de connaître, c'est-à-dire, pour le dire plus prosaïquement, par une meilleure diffusion de la culture scientifique et technique au sein de la société : on peut ainsi *se faire plaisir* avec la science, vibrer grâce à elle, car comprendre aide à mieux ressentir. Il convient donc de la partager, pour qu'elle devienne un élément vivace de notre rapport au monde et aux autres.

DES CRITIQUES PHILOSOPHIQUES...

La science est également devenue la cible de multiples critiques d'ordre philosophique.

On peut d'abord l'accuser d'être une simple « construction sociale », d'avoir avec la vérité un lien qui ne serait ni plus fort ni moins fort que celui des autres démarches de connaissance. C'est le propos des thèses relativistes les plus radicales.

Dans un autre registre, on peut lui reprocher de conduire à un arraisonnement abusif de la nature, de sournoisement nous déterminer à ne plus voir les fleuves que comme de simples « fournisseurs de pression hydraulique » pour centrales du même nom (Heidegger). On peut également clamer qu'existerait un lien entre progrès technique et « oubli de l'être », au motif que le premier ne cesserait de nous éloigner de l'origine perdue (Heidegger encore[1]) ; ou bien qu'en imposant l'idée qu'il n'existe qu'une seule forme de connaissance la science s'acharnerait à détruire tout ce qu'il y a

---

1. « Le règne de l'Arraisonnement nous menace de l'éventualité qu'à l'homme puisse être refusé de revenir à un dévoilement plus originel et d'entendre ainsi l'appel d'une vérité plus initiale » (Martin Heidegger, « La question de la technique », *Essais et conférences*, Gallimard, 1958, p. 37-38).

d'humain et de culture sur cette Terre (Michel Henry) ; ou bien encore que l'objectivité de la science absorberait le sujet, mettrait hors jeu nos affects, nos sensations, nos humeurs, et que ce qu'elle a mis hors jeu, on le tiendrait désormais pour presque rien, bref, que la science se penserait en dehors du sujet humain qui pourtant l'élabore (Husserl). On peut enfin déplorer, à l'heure concomitante de Facebook et du GPS, que notre rapport à la nature et aux autres soit désormais trop médiatisé par la technique, voire neutralisé, affadi par elle.

Le fait est que, dès qu'il s'agit de sciences et de technologies, toutes sortes d'arguments s'entremêlent qui puisent parfois dans des sources de savoir alternatives, de sorte que la diffusion des connaissances scientifiques au sein de la société est devenue une tâche extraordinairement difficile. Les messages que l'on transmet ne sont pas des sortes de cours que l'on donnerait dans une salle de classe où il y aurait les bons élèves et les cancres : ce sont plutôt des armes distribuées sur une sorte de champ de bataille. À mesure que les idées « postmodernes » se diffusent dans notre culture, même sous une forme diluée, elles créent un climat intellectuel peu propice à l'analyse rigoureuse des faits et laissent la voie libre aux raisonnements les plus brumeux et aux thèses les plus fausses.

Il faut dire que les mauvais exemples viennent de haut : un ancien ministre de l'Éducation nationale, géologue reconnu mais non-climatologue notoire, n'a-t-il pas pris l'habitude de clamer sur les ondes et sur les plateaux de télévision que les chercheurs du GIEC[1] sont gens incompétents et que lui a « sa » vérité sur la planète, c'est-à-dire, à ses yeux, la vérité tout court ? Le stratagème est simple : faire accroire qu'on est un nouveau Galilée, accumuler les sophismes, laisser entendre que les « soi-disant » experts sont des « ayatollahs », et surtout proférer sur le climat des assertions en apparence convaincantes mais en réalité parfaitement fausses (« Comment peut-on prétendre prévoir le climat du prochain siècle alors que les prévisions météorologiques ne vont pas au-delà de quelques jours[2] ? »). Le problème, bien sûr, c'est que n'est pas Galilée qui veut.

---

1. Le GIEC est le Groupe d'experts intergouvernemental sur l'évolution du climat. Il n'est pas un organisme de recherche, mais un lieu d'expertise visant à faire la synthèse de travaux menés dans les laboratoires du monde entier.

2. Si cette assertion était vraie, au motif que je ne sais pas dire quel temps il fera dans dix jours à Paris, je n'aurais pas le droit d'affirmer qu'en 2012 le mois d'août dans la capitale sera plus chaud que le mois de janvier...

De telles attitudes – et la complaisance médiatique dont elles bénéficient – posent une question générale : a-t-on le droit de nier ce que dit la communauté scientifique « officielle » en mettant en avant sa propre intuition ou ses convictions personnelles ?

Les doctrines relativistes bénéficient d'une sympathie intellectuelle quasi spontanée. Pourquoi séduisent-elles tant ? Sans doute parce que, interprétées comme une remise en cause des prétentions de la science, un antidote à l'arrogance des scientifiques, elles semblent nourrir un soupçon qui se généralise, celui de l'imposture : « Finalement (en science comme ailleurs), tout est relatif. » Ce soupçon légitime une forme de paresse intellectuelle qui favorise les pseudosciences, et procure même une sorte de soulagement : dès lors que la science produit des discours qui n'ont pas plus de véracité que les autres, pourquoi faudrait-il s'échiner à vouloir les comprendre, à se les approprier ? Il fait beau. N'a-t-on pas mieux à faire qu'apprendre sérieusement la physique, la biologie ou les statistiques ? Et pourquoi faudrait-il étudier les opérateurs non commutatifs ou les espaces de Hilbert si l'on peut trouver tout ce qu'il faut savoir sur la mécanique quantique dans les livres de Fritjof Capra ?

Dans son élan même, l'activité scientifique a partie liée avec l'idée de vérité : c'est bien elle qu'elle vise plutôt que l'erreur. Pour autant, le lien science-vérité est-il exclusif ? La science a-t-elle le monopole absolu du « vrai » ? Serait-elle la seule activité humaine qui soit indépendante de nos affects, de notre culture, de nos grands partis pris fondateurs, du caractère contextuel de nos systèmes de pensée ? Tel est le grand débat d'aujourd'hui.

Certains soutiennent qu'il n'y a pas d'autre saisie objective du monde que la conception scientifique : le monde ne serait rien de plus que ce que la science en dit ; avec leur symbolisme purifié des scories des langues historiques, les énoncés scientifiques *décrivent* le réel ; les autres énoncés, qu'ils soient métaphysiques, théologiques ou poétiques, ne font qu'*exprimer* des émotions ; bien sûr, cela est parfaitement légitime, et même nécessaire, mais il ne faut pas confondre les ordres.

Aux antipodes de cette conception positiviste, d'autres considèrent que la vérité est surtout un mot creux, une pure convention. Elle ne saurait donc être considérée comme une norme de l'enquête scientifique, et encore moins comme le but ultime des recherches. Ces « véri-phobes » refusent de penser qu'il existe quelque démarche de connaissance qui serait en contact plus étroit avec le monde, qui lui serait mieux ajustée que n'importe quelle autre. Ne reste alors, selon eux, qu'à mettre au jour les véritables intérêts déterminants de la recherche scientifique, intérêts qui se cacheraient derrière les motivations affichées par les différents protagonistes. Certains sociologues des sciences radicaux soutiennent même que le contenu de la connaissance serait créé de toutes pièces par les scientifiques : « En reconnaissant le caractère conventionnel et artificiel de nos connaissances, écrivent par exemple Steven Shapin et Simon Schaffer, nous ne pouvons faire autrement que de réaliser que c'est nous-mêmes, et non la réalité, qui sommes à l'origine de ce que nous savons[1]. » En d'autres termes, les théories tenues pour « vraies » ou pour « fausses » ne le seraient pas en raison de leur adéquation ou inadéquation avec des faits, mais en fonction d'intérêts sociologiques, moraux ou religieux.

---

1. S. Shapin, S. Schaffer, *Léviathan et la Pompe à air. Hobbes et Boyle entre science et politique*, La Découverte, 1993, p. 344.

Mais, alors, une question se pose : est-il vraiment concevable que la physique, pour prendre un exemple de discipline scientifique, ne se soit développée qu'en fonction de tels intérêts ? Bien sûr, l'existence de toutes sortes d'influences, notamment sociologiques, dans la pratique de la recherche n'est guère contestable. Les exemples d'hallucinations qui finissent par devenir collectives ne sont d'ailleurs pas rares : il y a eu les rayons N, la « super-eau », les avions « renifleurs » (adjectif dont l'anagramme n'est autre que... « Ruiner Elf » !), la mémoire de l'eau, la fusion froide... Mais de là à en tirer argument pour prétendre que les théories scientifiques ne sont que de simples conventions sociales établies par la communauté des chercheurs, il y a un pas qu'il faut se garder de franchir trop vite. Certes, il semble raisonnable de penser que des intérêts militaires ont contribué à l'essor de la physique nucléaire, que des intérêts médicaux ont pu favoriser la recherche dans le domaine de la résonance magnétique ou que des intérêts technologiques poussent aujourd'hui les physiciens à s'intéresser à l'information quantique. À l'occasion, les intérêts d'ordre sociologique peuvent certainement influer sur la direction dans laquelle la physique se développe. Pour autant, l'idée qu'ils déterminent le *contenu même* des connaissances paraît difficile à défendre. Car, si tel était le cas, il devrait être possible de montrer, par exemple, que le contenu même de nos connaissances en physique nucléaire exprime, d'une manière ou d'une autre, un intérêt militaire ou géopolitique. Or, si l'humanité décidait un jour de se débarrasser de tous ses réacteurs et de toutes ses armes nucléaires, les mécanismes physiques de la fission de l'uranium n'en seraient nullement modifiés...

D'autres auteurs dénoncent l'idéologie de l'objectivité scientifique, arguant que les chercheurs sont gens partisans, intéressés, et que leurs jugements sont affectés par leur condition sociale, leurs ambitions ou leurs croyances. Selon eux, l'objectivité de la science devrait nécessairement impliquer l'impartialité individuelle des scientifiques eux-mêmes : elle serait une sorte de *point de vue de nulle part*, situé au-dessus des passions et des intuitions. Or, avancent-ils, la plupart du temps, les chercheurs ne sont pas impartiaux. Par exemple, ils ne montrent guère d'empressement à mettre en avant les faiblesses de leurs théories ou de leurs raisonnements. L'esprit scientifique, au sens idéal du terme, serait donc introuvable, et la prétendue objectivité de la science ne serait que la couverture idéologique de rapports de forces dans lesquels la nature n'a pas vraiment son mot à dire. Tout serait créé, et, en définitive, la physique en dirait moins sur la nature que sur les physiciens.

Mais il y a une parade contre ce genre de raisonnements. Elle consiste à faire remarquer que, si l'objectivité de la science devait être entièrement fondée sur l'impartialité ou sur l'objectivité de *chaque* scientifique, nous devrions lui dire adieu. Nous vivons tous dans un océan de préjugés, et les scientifiques n'échappent pas à la règle. S'ils parviennent à se défaire de certains préjugés dans leur domaine de compétence, ce n'est donc pas en se purifiant l'esprit par une cure de désintéressement. C'est plutôt en adoptant une méthode critique qui permet de résoudre les problèmes grâce à de multiples conjectures et tentatives de réfutation, au sein d'un environnement institutionnel qui favorise ce que Karl Popper appelait « la coopération amicalement hostile des citoyens de la communauté du savoir ». Si consensus il finit par y avoir, celui-ci n'est donc jamais atteint qu'à la suite d'un débat contradictoire ouvert. Ce consensus n'est pas lui-même un critère absolu de vérité, mais le constat de ce qui est, à un moment donné de l'histoire, accepté par la majorité d'une communauté comme une théorie susceptible d'être vraie.

Reste qu'on doit mettre au crédit de la sociologie des sciences le fait d'avoir montré que l'histoire des sciences telle que les manuels la racontent est toujours reconstruite *a posteriori* et idéalisée. Elle fait la part trop belle à une rationalité partiellement reconstruite après coup, c'est-à-dire à partir de points de vue rétrospectifs. L'activité scientifique y est ramenée à un enchaînement toujours bien ordonné d'arguments et de preuves : une hypothèse est avancée par Monsieur X, dont les calculs prédisent que... Monsieur Y, qui veut vérifier les prédictions de Monsieur X, réalise une expérience qui les confirme ou, au contraire, les invalide, ce qui permet soit d'adopter ce système théorique, soit d'en forger un nouveau. Et ainsi de suite. Or, dans la pratique, les choses se passent en général de façon très différente. D'abord parce que les découvertes n'adviennent parfois qu'au travers de processus largement opaques à leurs agents. Ensuite parce que le « style de pensée » de la communauté des savants à une époque donnée influe provisoirement sur la manière dont les concepts scientifiques se construisent et finissent par s'imposer.

Une découverte célèbre nous servira d'illustration. Le 18 janvier 1932, Irène et Frédéric Joliot-Curie, alors à Paris, publièrent une *Note aux comptes rendus de l'Académie des sciences* dans laquelle ils faisaient état de leur découverte « d'un rayonnement extrêmement pénétrant » émis par certains éléments chimiques si on les bombarde avec des particules alpha. Ils précisaient également les effets produits par un tel rayonnement : si on le projette sur des substances comme la paraffine qui sont riches en hydrogène (c'est-à-dire en protons), il provoque l'émission de protons de haute énergie. Surpris et intrigués, les époux Curie en avaient déduit – à tort – que ce rayonnement était constitué de rayons déjà connus, mais de plus haute énergie. Quelques jours plus tard, Ettore Majorana, un jeune physicien sicilien installé à Rome et travaillant dans l'équipe d'Enrico Fermi, prit connaissance de l'article des Joliot-Curie. Aussitôt, il comprit que le couple français venait en réalité de découvrir une nouvelle particule, qui n'avait rien à voir avec les rayons gamma : « Les imbéciles, s'exclama-t-il, ils n'ont même pas compris que c'est le neutron ! »

Comment expliquer pareille clairvoyance de la part du Sicilien ? Par ses prodigieuses connaissances théoriques, bien sûr, mais aussi et surtout parce que, à la différence des Curie, il avait déjà intégré dans son propre système de pensée l'idée de neutron, suggérée douze ans plus tôt à Cambridge par Ernest Rutherford. D'une certaine façon, il était, lui, mentalement préparé à cette découverte, intellectuellement prêt à reconnaître le neutron dès que celui-ci montrerait le bout de son nez.

On voit par là à quel point la sociologie des sciences a raison d'insister sur l'importance du contexte dans la façon dont la science se construit. Mais faut-il tirer de ce constat, *au bout du compte*, des conclusions radicalement relativistes ? Certainement pas. Car il serait difficile d'expliquer d'où vient que les théories physiques, telles la physique quantique ou la théorie de la relativité, « marchent » si bien si elles ne disent absolument rien de vrai. Comment pourraient-elles permettre de faire des prédictions aussi merveilleusement précises si elles n'étaient pas d'assez bonnes représentations de ce qui est (ce serait trop dire cependant que d'en déduire qu'elles ne peuvent dès lors qu'être vraies). En la matière, le miracle – l'heureuse coïncidence – est très peu plausible. Mieux vaut donc expliquer le succès prédictif des théories physiques (je parle de celles qui n'ont jamais été démenties par l'expérience) en supposant qu'elles *parlent* de la nature, ou plutôt de notre interaction avec elle, et qu'elles arrivent à se référer, plus ou moins bien, à ces réalités-là. Et que, sans arguments complémentaires, nos affects, nos préjugés, nos intuitions ne sont guère en mesure de les contester sur leur terrain de jeu.

... ET DES CRITIQUES POLITIQUES

Mais d'autres critiques, peut-être les plus violentes, sont d'ordre politique, et ce sont ces critiques, sans doute, qui discréditent le plus la parole scientifique lorsque celle-ci tente de sortir de son domaine strict : on considère que la science est devenue l'instance directement responsable de la plupart des dérives du monde actuel, qu'elles soient économiques, idéologiques, écologiques, sociales ou autres.

Par capillarité, cette ambivalence de la science est aussi devenue celle de la technique, sa cousine, qui se trouve soumise, elle aussi, à deux forces violemment antagonistes. La première de ces forces est la technique elle-même, qui diffuse continûment dans tous les aspects de la vie quotidienne. Cette intrusion est même si intense, si ostensible, que la technologie (la *technique* associée au *logos*, c'est-à-dire ce qu'on dit à propos de la technique, sa mise en récit) semble désormais transcender la dimension de l'action individuelle de chacun d'entre nous, et même celle de l'action collective. La fonction anthropologique de la technique devient ainsi celle d'une nouvelle divinité, d'un « sacré » non religieux, mais qui posséderait toutes les caractéristiques d'un dieu tout-puissant. La seconde de ces forces, opposée à la première, est une résistance diffuse à cette affluence-influence croissante des objets techniques : la quantité même de ces objets impressionne, ainsi que leur association au sein de réseaux qui prolifèrent et dont le contrôle n'est jamais que partiel. D'où la crainte que nous allions trop vite vers l'inconnu, ou que nous soyons même menacés de succomber à la démesure technologique : « La rapidité avec laquelle les innovations contemporaines se succèdent ne laisse aucun répit, d'où une désorientation sociale

et psychologique sans précédent dans l'histoire[1] »,
écrivait Bernard Stiegler dès 1996. Dans pratiquement tous les secteurs, on sent désormais le
souci d'arracher la planète et ceux qui l'habitent
aux griffes technicistes.

Alors, dans ce nouveau contexte, on somme
les scientifiques d'éviter à tout prix non seulement la catastrophe, mais également l'ombre de
toute catastrophe possible. Et c'est ainsi que le
discours sur la catastrophe en vient à acquérir un
pouvoir réel, en même temps qu'une véritable
légitimité médiatique, même si la catastrophe en
question demeure purement fictive.

Le « clash » entre ces deux forces qui chahutent le statut symbolique de la technique semble
difficilement évitable. Il est susceptible d'engendrer diverses formes de violence, ne serait-ce que
d'ordre symbolique, dont les nanosciences pourraient être l'exutoire. Car les promesses exagérées
(ce qu'en anglais on appelle le « *hype* », terme
qu'on peut traduire par « publicité mensongère »)
aussi bien que les menaces les plus terrifiantes
auxquelles on les a associées les ont médiatique-

---

1. Bernard Stiegler, *La Technique et le Temps*, tome 1, Éditions
Galilée, 1996, p. 56.

ment installées en symbole suprême de la technique toute-puissante. Là où il y a encore du jeu social et politique, on ne veut voir qu'une pure fatalité de la technique, qui nous mènera, selon les uns, à des réalisations révolutionnaires et tout à fait désirables, et, selon d'autres, à un avenir de « dictatures, de robots et de moutons », pour parler comme les membres du groupe « Pièces et Main-d'œuvre » qui s'oppose depuis plusieurs années au développement des nanotechnologies.

La technoscience est-elle soluble dans la démocratie ?

Commençons par rappeler un constat général que n'importe laquelle ou lequel d'entre nous a déjà fait : nous avons bel et bien changé d'époque, au sens où nous avons quitté la « modernité ». Qu'est-ce que la modernité ? Le mouvement intellectuel initié à la Renaissance, qui s'est développé en Europe au siècle des Lumières et a permis l'essor des sciences et des techniques. Il affirme d'abord l'idée de progrès, conçoit ensuite qu'il y a un lien entre rationalité, science et progrès, et postule enfin qu'il existe une sorte d'embrayage automatique entre toutes les formes de progrès (scientifique, technique, matériel, social, politique, moral). Prenez une nation tyrannique, explique à peu près d'Alembert, formez-y des géomètres, et vous verrez quelque temps plus tard le peuple s'affranchir de son joug (d'Alembert n'a manifestement pas prévu la Corée du Nord actuelle, tyrannie terrifiante où l'on trouve d'excellents géomètres...). Aux yeux de la modernité, la science est la matrice de toutes les améliorations envisageables de la condition humaine.

Cette conception, qui donnait à l'histoire un sens, a trempé la révolution industrielle. Mais, dans la seconde moitié du XXᵉ siècle, l'idée de progrès est devenue moins sûre d'elle-même, et surtout moins joyeuse. De nouvelles menaces sont apparues : pollutions, nuisances, perte des solidarités traditionnelles, soumission des corps et des esprits aux normes de l'organisation des machines. Alors, arguant que nous sommes entrés dans l'« après », dans une phase irréversible de critiques et de doutes, certains philosophes parlent de « postmodernité » : la postmodernité, c'est la modernité moins l'illusion ; cette illusion est celle de la possibilité d'un état final, définitif, où il n'y aurait plus rien à faire d'autre que continuer, répéter ; or nous constatons que le nombre de problèmes croît à mesure que nous avançons. D'autres penseurs, tel Zygmunt Bauman, préfèrent utiliser la notion de « société liquide[1] » : nouveaux rapports au temps et à l'espace, à la territorialité, bouleversements des relations entre les personnes ; la fluidité générale rend nos trajectoires, individuelles ou collectives, parfaitement imprévisibles ; des écarts, des déplacements, des chocs, des ruptures sont à tout moment susceptibles de saper les socles et les piliers sur lesquels nous nous appuyions pour configurer l'avenir.

N'ayant pas ici le goût de prendre parti, je dirai plus prosaïquement que nous vivons désormais une seconde modernité, ou plutôt une deuxième modernité (car il y en aura peut-être une troisième), qui est une modernité non pas nécessairement sceptique, mais réflexive : l'essor des sciences et des techniques se poursuit, mais ce processus ne peut plus être décrypté – et encore moins présenté – de façon naïve ; la technique, on le sait, peut avoir des débordements démiurgiques ;

---

1. Zygmunt Bauman, *Liquid Modernity*, Polity, 2000.

quant à la science, elle n'est plus aussi facilement « jules-vernisable » qu'il y a un siècle. D'abord parce que de nouvelles questions lui sont posées. Ensuite parce que les scientifiques sont désormais priés par leurs concitoyens – et même tenus – de s'interroger sur ce qu'ils sont en train de faire, d'expérimenter.

Prenons un exemple, celui des pesticides et des effets qu'ils pourraient avoir sur la santé. Lorsque l'on traite de cette question, de nombreuses valeurs sont invoquées, et comme mises en concurrence : celui qui a été malade fera valoir un système de valeurs au regard de sa santé. Celui qui craint des difficultés économiques développera un système de valeurs économiques. D'autres acteurs mettront en avant des valeurs plus philosophiques. Car on ne peut pas ignorer le fait qu'aujourd'hui une partie de la France est devenue néorousseauiste : tout ce qui est contre nature est considéré comme mauvais et dangereux. Il faudrait en somme se protéger de l'artificiel et de l'« étranger », le mot « étranger » étant à prendre ici dans le sens le plus vaste qui soit.

Pour régler cette difficulté, on prétend utiliser le principe de précaution. Mais il en existe deux aujourd'hui, très différents l'un de l'autre, qui cohabitent plus ou moins tranquillement. Le premier est celui qui a été inscrit dans la Constitution et qui prétend bénéficier d'une dimension objective : l'État, en fonction d'une procédure qui sera essentiellement scientifique, prend une décision qui résultera du rapport entre le coût et le bénéfice. Le second permet de revendiquer le droit de vivre tranquillement, autrement dit de ne pas être exposé à une inquiétude, et de réduire non pas le danger, mais l'inquiétude, le souci, l'angoisse.

Pourquoi est-ce possible ? Ce n'est pas parce que la science n'est pas suffisamment diffusée. C'est plutôt parce que la vie quotidienne parle un langage scientifique. La surinformation qui circule dans les médias est multiple : on peut lire un jour dans la presse que le vin donne le cancer, le lendemain, qu'il protège du cancer. Par sa surabondance, l'information crée de l'indécidabilité, et donc de la perplexité.

Les pesticides ont été pris dans cet engrenage. L'agriculture est un métier de réduction des risques : l'agriculteur est chargé de réduire notre risque de ne pas avoir accès à une alimentation saine, sachant qu'en même temps c'est l'un des métiers les plus exposés au risque, ne serait-ce que pour anticiper à l'automne le prix de sa récolte au mois de juillet suivant, qui dépend de la qualité des semences, du climat, des insectes... Or, alors que les pesticides ont été un instrument essentiel de la réduction du risque, que chacun acceptait *pour cette raison*, ils sont devenus le symbole d'une agriculture qui produit du risque. Là encore, un renversement s'est produit.

Ainsi en sommes-nous venus à mettre en doute certains des idéaux qui, deux siècles plus tôt, nous semblaient fondateurs de notre civilisation. Nous ne mettons d'ailleurs plus de majuscule au mot « progrès ». S'agit-il d'un reniement coupable ? C'est ce que croient les scientistes. S'agit-il d'une passagère bouderie d'enfants gâtés ? C'est ce que pensent ceux qui ne bénéficient pas de notre niveau de développement. S'agit-il d'un salutaire sursaut de lucidité ? C'est ce que disent les écologistes, bien sûr, mais pas seulement eux : l'engouement pour la notion de développement durable n'est-il pas né du constat objectif que notre développement actuel n'est ni durable dans le temps ni extrapolable dans l'espace ?

En quelques décennies, la notion de progrès s'est problématisée. Alors même que la réalité des avancées scientifiques et techniques accomplies en quelques siècles est indéniable, nous demandons au progrès de nous fournir des preuves de son existence à un niveau plus global. Nous voyons bien que l'époque présente est à la production éclatante, aux innovations tous azimuts – qui vont bien au-delà de ce qu'avaient pu rêver les utopistes du XIXe siècle –, mais elle nous semble toujours emplie de carences. Car, au lieu de se montrer de façon douce en chaque point du réseau, les progrès surgissent de façon fulgurante en quelques points particuliers. Et, surtout, contrairement à ce que nous avions espéré, la science n'a pas fait taire le malheur ni réduit l'injustice : le progrès n'est pas un soulagement. Un sentiment de manque est toujours là. Quelque chose semble même s'aggraver, mais nous ne savons pas quoi. L'idée de progrès se mourrait-elle, là, sous nos yeux ? Mais, à cette seule éventualité, nous sommes pris de vertige et angoissés plus encore. Car nous ne sommes pas des tarzans : nous pourrions à la rigueur accepter, voire rêver, de retourner à la nature brute, mais à la condition expresse de pouvoir emporter des vêtements en textile synthétique, une carte de crédit, un téléphone portable et un sac à dos rempli d'antibiotiques.

Ainsi s'exprime le paradoxe de notre rapport au progrès : nous prétendons ne plus y croire, mais en réalité nous tenons encore à lui farouchement, même si ce n'est plus que de façon négative, c'est-à-dire en proportion de l'effroi que nous inspire l'idée qu'il puisse s'interrompre.

Tchernobyl, vache folle, amiante, sang contaminé… La société postmoderne se reconnaît volontiers comme la « société du risque », pour reprendre l'expression d'Ulrich Beck[1], devenue canonique. Presque tout y est perçu, analysé et pensé sous l'angle de la menace, notamment lorsqu'il s'agit des nouvelles technologies : chaque fois qu'une innovation s'annonce, on s'empresse de dresser la liste des dangers potentiels que cette innovation pourrait induire.

Sans doute est-ce la question générale du nucléaire qui a installé ce type de réflexe collectif, du fait qu'elle entremêlait l'idée d'une révolution scientifique majeure, celle d'une ressource énergétique considérable et aussi celle d'une formidable puissance de mort. Depuis, les controverses autour de la science et de la technologie n'ont

---

1. Ulrich Beck, *La Société du risque. Sur la voie d'une autre modernité*, trad. L. Bernardi, Paris, Flammarion, coll. « Champs », 2003.

134

cessé de s'intensifier, diverses dans leur nature, différentes dans leurs enjeux.

Dans un tel climat, il est facile de comprendre pourquoi l'acceptabilité des innovations et des risques technologiques n'a plus rien d'automatique. Certes, des décisions sont bel et bien prises par les instances représentatives, mais le public ne s'y rallie pas toujours. En la matière, l'adoption d'une loi n'apaise en rien les passions, moins encore l'angoisse. Les discussions, du fait qu'elles ne parviennent jamais à s'éteindre, prennent parfois des allures de guerre de tranchées : d'un côté, les technophiles enthousiastes qui pensent qu'une nouvelle technique est sûre tant qu'on n'a pas démontré qu'elle pouvait être dangereuse ; de l'autre, les technophobes radicaux qui considèrent qu'aucune innovation n'est inoffensive tant qu'on n'a pas réussi à prouver qu'elle est sans danger.

Les citoyens que nous sommes se trouvent ainsi pris entre deux feux, comme « disloqués » à mi-chemin entre le culte de la technique et la célébration de la nature. Chacun se demande quoi penser, qui croire, que faire, mais sans jamais parvenir à trouver des réponses stables à ces questions. En guise d'aide, nous pourrions être tentés d'adopter une approche purement comptable des produits dérivés de la science, mettre ses bienfaits dans la colonne de gauche et ses nuisances, dans celle de droite. Mais, très rapidement, cet exercice se révèle impossible, car le choix de la bonne colonne n'est jamais indiscutable : les uns mettront la télévision, les fours à micro-ondes et les téléphones portables au crédit de la science, les autres, à son débit. En outre, il faudrait faire le bilan de cette comptabilité. Mais comment soustraire des vaccins les armes biologiques ? Ou des chauffages centraux les marées noires ?

La tentation luddite

Reste que le lien systématique que nous établissons désormais entre nouvelles technologies et risques – pour la santé ou pour le reste – est devenu si robuste, si médiatiquement présent, qu'il tend à masquer ou à recouvrir d'autres formes plus anciennes de critique de la puissance de la technique. Par exemple, on ne cite plus guère aujourd'hui McLuhan qui, dans les années 1960, déplorait que la technique ait fait de nous « les organes sexuels du monde mécanique[1] », voués à sa seule reproduction. Et, surtout, on oublie que les premiers arguments qui furent évoqués à l'encontre de la montée en puissance de la technique n'utilisaient nullement la notion de risque. Ils étaient exclusivement d'ordre politique et social. C'est notamment ce qu'enseigne l'histoire du « luddisme[2] » (à laquelle se réfère explicitement PMO). Ce mouvement de résistance contre les machines continue d'exercer une influence dans nos sociétés en rappelant que le choix d'introduire une machine ou une nouvelle technologie est toujours un choix politique : loin d'être neutre, ou inexorable comme on le croit trop souvent, il procède toujours de l'exercice d'un certain pouvoir.

Mais qu'est-ce précisément que le luddisme ? En mars 1811, une singulière épidémie se répand en Angleterre. Se réclamant d'un dénommé Ned Ludd, de petits groupes nocturnes entreprennent de briser les machines dans les filatures de coton. Le rituel est bien établi :

---

1. Marshall McLuhan, *Pour comprendre les médias*, Paris, Seuil, 1968 (édition originale en langue anglaise, 1964).
2. Voir le livre de Nicolas Chevassus-au-Louis, *Les Briseurs de machines. De Ned Ludd à José Bové*, Seuil, 2006.

envoi au propriétaire d'une lettre de menace
signée Ned Ludd, puis destruction des machines
incriminées à coups de masse. Qui est Ned
Ludd, dit le « roi Ludd » ou le « général Ludd »,
« commandant de l'armée des Justiciers » ? On
ne le saura jamais. Sans doute ne s'agit-il que
d'un nom. Originaire des Midlands, Ludd prétend rédiger ses missives depuis la forêt de
Sherwood – revendiquant ainsi sa filiation spiri-
tuelle avec Robin des Bois. Face à l'ampleur du
mouvement qui se propage de comté en comté,
passant du simple bris de machines à l'attaque
armée de manufactures entières et à l'assassinat
d'industriels, le gouvernement anglais prend
peur. Car, malgré l'envoi de la troupe, malgré le
recours aux espions, le mouvement luddite reste
aussi vivace que mystérieux. Redoutant une
insurrection massive – le spectre de la Révolution
française n'est pas loin –, les autorités frappent
donc un grand coup. Pendaisons, déportations,
les luddites capturés sont sévèrement châtiés. Ils
ne livreront pourtant rien de leur secret. Le mouvement s'éteint courant 1812. Il aura duré un an
et demi.

On réduit souvent le luddisme à une réaction
de refus et de peur face au progrès technologique,

mais cela revient à passer à côté de sa réelle signification. Refus du progrès ? L'introduction des machines de tissage est bien antérieure à 1811 – or, jusqu'à cette date, nul n'y a rien trouvé à redire. Mais, en 1811, paralysée par le blocus napoléonien, l'Angleterre n'a plus de débouchés pour ses exportations, et le chômage fait rage. Dans un tel contexte, la suppression d'emplois à laquelle conduit la mécanisation revêt une acuité toute particulière : s'en prendre aux machines, c'est s'en prendre à ce qui vous prive de travail. C'est aussi – leitmotiv des premières lettres adressées par Ludd – protester contre l'ouvrage mal fait : les bonnets tissés mécaniquement sont d'une qualité inférieure à ceux fabriqués à la main, ce que les manifestants jugent inacceptable. C'est également dénoncer l'affadissement du rôle de l'ouvrier, qui se trouve comme « expulsé » par des machines qui prennent sa place et qu'il doit servir. C'est enfin se rebeller contre des conditions de vie et de travail considérées comme aliénantes, la mécanisation signant la fin du travail à domicile, remplacé par une besogne répétitive en atelier, et l'avènement du travail déresponsabilisé. La remise en cause ne vise pas le progrès en tant que tel, mais ses conséquences sociales.

La seconde moitié du XIXe siècle sonnera le glas des briseurs de machines. Avec les deux expositions universelles de Londres et de Paris, en 1851 et 1867, l'Europe se précipite, enthousiaste, dans l'ère industrielle. Le progrès est bel et bien roi. Capitalistes et marxistes, chacun à leur façon, célèbrent les vertus de la mécanisation et de son aboutissement : le travail à la chaîne inventé par Taylor, synonyme de richesses pour tous selon les premiers, prélude à une émancipation ouvrière d'après les seconds. Le luddisme sort des mémoires. Or, un siècle plus tard, alors que la foi dans le progrès vacille sur son socle, son spectre resurgit. Maladroitement, avec Unabomber et sa dénonciation aussi sanglante que vaine de toute technologie[1]. Bien plus efficace est l'arrachage des

---

1. Entre 1978 et 1995, un mystérieux Freedom Club, rebaptisé Unabomber par les médias américains, a envoyé des colis piégés à des dizaines de personnes, en tuant trois et en blessant vingt-huit autres. Ses motivations restèrent énigmatiques jusqu'à ce que le *Washington Post* et le *New York Time* décident en 1995 de publier de concert un manifeste envoyé par le mystérieux terroriste, dans lequel celui-ci dénonce la technologie comme « un désastre pour la race humaine » et appelle à la destruction des usines et à l'autodafé des livres techniques. Le 3 avril 1996, la police arrêta le poseur de bombes – un certain Theodore Kaczynski – dans une cabane du Montana où il vivait depuis des années. Il s'agissait d'un mathématicien professionnel.

OGM. Car, même si ses auteurs s'en défendent, c'est pourtant à la tradition de Ned Ludd qu'il faut rattacher ce mouvement. Pas plus que les luddites n'étaient contre la machine en tant que telle, les arracheurs ne sont (tous) contre la transgenèse : ce qu'ils combattent est un modèle social et politique qui piétine leurs valeurs.

En la matière, les choses seraient-elles en train de changer ? Dès qu'il est question de science ou de technologie, on sent en tout cas poindre l'exigence d'une prise de responsabilité collective, même si ses modalités restent difficiles à entrevoir. Le public a compris que les questions soulevées par la science ne relèvent pas seulement de la raison théorique, mais aussi de la raison pratique et de la volonté. Et il sent que ses jugements, à défaut d'être rationnels ou éclairés, sont en général raisonnables dès qu'il s'agit d'organiser un « monde commun ». Alors il n'hésite plus à interpeller les scientifiques : « Que faites-vous au juste ? Que savez-vous exactement ? En quoi ce que vous proposez est-il pertinent pour nous ? »

De nouvelles procédures à inventer ?

Nul besoin d'être sorti major de Polytechnique pour percevoir que le renouvellement des technologies bouleverse l'économie, les relations sociales, nos représentations du monde, et aussi de nous-mêmes. Si l'on avait posé à un homme du Moyen Âge la question : « Un être qui fait Paris-Marseille en trois heures est-il encore un homme ? », il aurait probablement répondu : « Non, c'est un oiseau particulièrement véloce ou un ange, mais ce n'est pas un homme. » L'augmentation des vitesses de transport, pour ne prendre que ce seul exemple, a donc permis un double déplacement, un déplacement dans l'espace bien sûr, mais aussi un déplacement d'ordre ontologique, comme si la rapidité de notre locomotion avait modifié les contours de notre nature. D'une façon générale, la technique n'est jamais extérieure à la vie humaine. Elle y insère ses normes, les compose, et ainsi nous reconfigure à une vitesse prodigieuse : qui pourrait faire vivre côte à côte, afin de les comparer, un homme de 1909 et un autre de 2009 frôlerait la tentation d'y distinguer deux espèces différentes.

Mais le sentiment s'installe que le progrès technique, longtemps réputé servir à l'amélioration de la condition humaine, se développe dorénavant pour lui-même et non plus en vue d'une fin supérieure. Comme si la rivalité des laboratoires et des entreprises générait automatiquement un impératif d'« innovation pour l'innovation », sans que personne ne maîtrise plus le processus. Contre cette menace d'être dépossédés de leur destin, les individus et les sociétés aspirent à disposer de repères plus objectifs et mieux assurés. Parmi tous les fruits de la science, ils voudraient pouvoir choisir, en connaissance de cause, ceux qu'ils consommeront. C'est pourquoi la puissance même de la rationalité scientifique et l'impact des technosciences sur les modes de vie provoquent des réactions de résistance de plus en plus fortes, d'ordre culturel, social, idéologique : le désir de réaffirmer son autonomie face à un processus qui semble nous échapper, l'envie de défendre des idéaux alternatifs contre la menace d'un modèle unique de compréhension ou de développement, la volonté de rendre sa transparence au débat démocratique quand la complexité des problèmes tend à le confisquer au profit des seuls experts.

Mais reste le plus difficile, qui consistera à répondre aux deux questions suivantes. En matière de choix technologiques, où devrons-nous tracer la frontière entre ce qui relève de l'expertise savante, ce qui réclame une discussion générale et ce qui revient au pouvoir politique ? Et quelles procédures de décision pourrions-nous inventer qui feraient de l'incertitude un fardeau partagé par tous, et partagé équitablement ?

Retour aux nanosciences :
un nouvel horizon éthique ?

Les perspectives associées aux nanotechnologies ouvrent une sorte de nouvel horizon éthique que nous devons interroger : comment bien vivre ensemble dans un monde profondément modifié par la technique, comme arraché à la nature ? Voulons-nous demeurer dans la condition humaine, avec les caractères que la nature semble lui avoir fixés ? Ou avons-nous envie de transgresser ses limites actuelles, de lui échapper autant que faire se peut, d'engendrer à n'importe quel âge, de résister à tous les virus, de vivre « éternellement » jeunes, avec des capacités cérébrales augmentées grâce à l'implantation de toutes sortes d'artefacts dans le cerveau ?

Au-delà de ces questions éthiques, les nanosciences invitent à poser des questions de gouvernance mondiale en matière d'innovation technologique : allons-nous tolérer un agrandissement du fossé technologique entre le Nord et le Sud ? La course à l'innovation destinée à séduire les consommateurs du Nord ne se fait-elle pas au détriment de la recherche sur des problèmes sanitaires très graves qui touchent les populations du Sud (paludisme, sida, famine...) ? Les nanotechnologies ne vont-elles pas renforcer la domination exercée par quelques firmes sur des populations qui, dans leur grande majorité, n'ont pas accès à la culture scientifique et technique ?

De toute évidence, les nanotechnologies s'insèrent dans le processus millénaire de transformation technique du milieu naturel et, à travers elle, des conditions d'existence de l'homme. Avec elles, nous modifierons à coup sûr notre façon quotidienne de vivre, de communiquer, de consommer, de travailler, c'est-à-dire nos conditions de vie. Mais ne s'agit-il que d'une simple affaire de degrés ? Il se pourrait qu'à force de modifier nos conditions de vie humaine on aboutisse à une transformation radicale de *la* condition humaine elle-même. Une telle perspective, directement associée à l'idée de modernité, avait été anticipée par de nombreux penseurs, qui l'avaient souvent considérée très favorablement car ils la voyaient comme une contestation par l'homme de sa propre finitude. Aujourd'hui, elle nous fait réfléchir, voire nous inquiète, car nous sentons qu'elle pourrait mener à une liquidation progressive des bases de l'humanisme. Même si la véritable exigence de l'humanisme n'a jamais été de sacraliser une nature humaine prétendument immuable, nous craignons d'être conduits à ne plus percevoir l'« humaine condition » qui nous rattache à toute autre femme et à tout autre homme, si différents soient-ils, y compris lorsqu'ils diffèrent de nous par la technique qu'ils utilisent. Si les progrès des nanotechnologies devaient conduire à une rupture majeure au sein de l'histoire de l'humanité, par suite d'une transformation du corps désirée par l'homme et délibérément irréversible, que modifieraient-ils dans nos rapports mutuels, dans nos regards, dans notre empathie ? J'avoue que je ne le sais pas. Mais qui le sait ? Qui peut dire qu'il est expert de cette question ? Personne, quelques-uns ou tout le monde ? Par exemple, combien sommes-nous à penser que vouloir vivre humain, c'est d'abord accepter notre finitude, nous réconcilier avec nos limites : naître, souffrir, mourir ? Que c'est aussi refuser ce qui nous robotise, à commencer par l'abus des machines auxquelles nous devrions nous soumettre ?

Mihaïl Roco et William Bainbridge sont deux scientifiques connus pour être les auteurs d'un rapport célèbre[1], destiné aux décideurs politiques et publié en 2002 aux États-Unis, qui est très enthousiaste à propos des nanosciences qu'ils présentent comme une « révolution pour notre civilisation » et déclinent en de multiples promesses tout à fait mirobolantes : les nanosciences permettront « une compréhension exhaustive de la structure et du comportement de la matière depuis l'échelle nanométrique jusqu'au système le plus complexe découvert à ce jour, le cerveau

---

1. M. C. Roco et W. S. Bainbridge, *Converging Technologies for Improving Human Performance : Nanotechnology, biotechnology, information technology and cognitive science*, rapport de la National Science Foundation, Arlington, 2002.

humain », et elles auront la capacité d'« unifier les sciences et les techniques, d'assurer le bien-être matériel et spirituel universel, l'interaction pacifique et mutuellement profitable entre les humains et les machines intelligentes, la disparition complète des obstacles à la communication généralisée, en particulier ceux qui résultent de la diversité des langues, l'accès à des sources d'énergie inépuisables ou encore la fin des soucis liés à la dégradation de l'environnement ». En bref, on nous promet comme étant certains une connaissance vraie et définitive de l'univers, le bonheur à jamais, la paix dans le monde et l'harmonie entre les hommes. Vous pouvez compter, il ne manque rien, c'est donc le Salut avec un grand S.

Ce plaidoyer – somme toute assez ridicule – a joué un rôle très important dans la promotion institutionnelle et symbolique des nanosciences. Mais, en les associant directement à un projet métaphysique grandiloquent (et non pas seulement à un projet technologique), en les rivant à un horizon trop exagérément prometteur, Roco et Bainbridge ont sans doute construit le piège dans lequel les nanosciences se trouvent désormais prises : on met désormais celles-ci sous le feu intense de questions qui les dépassent largement, et qu'il faudra bien traiter un jour. Le problème est : comment traiter ces questions ? Cette tâche est nouvelle, et nous ne pouvons espérer l'accomplir avec les moyens anciens dont nous disposons. Quelque chose est donc à inventer.

En guise de piste de réflexion

Jusqu'à preuve du contraire, les nanosciences ne sauraient être considérées comme une « science totale » et elles ne semblent nullement relever d'une quelconque sotériologie. Quant à leurs applications, elles sont si diverses qu'on peut en espérer d'autres buts que l'espionnage ou l'empoisonnement des citoyens. Mais comment *avancer* avec elles ? Comment choisir parmi les chemins qu'elles rendent possibles ?

Je vois bien une piste, mais j'avoue ne pas savoir si elle est vraiment praticable. Elle consisterait à évaluer continûment les changements *effectifs* induits dans nos modes de vie et dans nos valeurs par les nanotechnologies à mesure qu'elles se feront. La tâche de l'éthique commence par la distinction entre les discours visionnaires, qu'ils soient grandiloquents ou catastrophistes, et les changements concrets qui naissent de l'utilisation, par définition imprévisible, des technologies nouvelles. Indépendamment des grands discours, ces changements effectifs mobilisent ou déstabilisent l'imaginaire, comme on le voit par exemple lorsque les biotechnologies remettent radicalement en question la frontière entre ce qui est vivant et ce qui ne l'est pas, voire rendent possible une véritable ingénierie du vivant avec la « biologie synthétique[1] ». Le progrès technique et technologique a toujours appelé des reconfigurations de nos modes de vie, de nos valeurs, de notre imaginaire. Les nanotechnologies ne font pas et ne feront pas exception à cette règle historique. Au moins conviendrait-il, avant toute chose, de ne pas se faire de ce progrès lui-même une idée imaginaire.

---

1. Fondée sur des principes d'ingénierie, la biologie synthétique vise à synthétiser des systèmes complexes, inspirés par le vivant, en les dotant de fonctions n'existant pas dans la nature. Elle cherche ainsi à comprendre comment l'ensemble des gènes et des protéines découverts dans les grands programmes de séquençage opèrent en synergie, s'influencent réciproquement et forment des modules et des circuits fonctionnels. Elle pourrait permettre la conception de « machines biologiques ».

Orientations bibliographiques

Vincent Bontems, Alexei Grinbaum, Étienne Klein, « Nanosciences : les enjeux du débat », *Le Débat*, 2008, n° 148, p. 65-79.

Jean-Michel Besnier, *Demain les post-humains*, Hachette, 2009.

Bernadette Bensaude-Vincent, *Les Vertiges de la technoscience*, La Découverte, 2009.

Jean-Pierre Dupuy, *La Marque du sacré*, Carnets Nord, 2009.

Christian Joachim, Laurence Plévert, *Nanosciences, la révolution invisible*, Seuil, 2008.

Louis Laurent, *Les nanotechnologies doivent-elles nous faire peur ?*, Le Pommier, 2005.

Louis Laurent, *Comment fonctionnent les nanomachines ?*, EDP Sciences, coll. « Bulles de Sciences », 2009.

Dominique Lecourt, *Humain, posthumain*, PUF, 2003.

Dominique Vinck, *Les Nano-Technologies*, Le Cavalier bleu, coll. « Idées reçues », 2009.

EN LIGNE

Alexei Grinbaum, Vincent Bontems (2009), *Ethical Toolkit for Reflection and Communication Concerning Nanoscience and Nanotechnology*, CEA-Larsim pour le projet européen ObservatoryNano, <http://www.observatorynano.eu/project/document/1598/>

Stefan Gammel, Astrid Schwarz, Alfred Nordmann (2009), *Ethics Portfolio*, Technical University Darmstadt pour le projet européen Nanocap, <http://www.nanocap.eu/Flex/Site/Page.aspx?PageID=15408>

Unesco (2006), *The Ethics and Politics of Nanotechnology*, Unesco, <http://portal.unesco.org/shs/en/ev.php-URL_ID=9648&URL_DO=DO_TOPIC&URL_SECTION=201.html>

Plusieurs avis pertinents sont disponibles sur le site du GEE, Groupe européen d'éthique des sciences et des nouvelles technologies : <http://ec.europa.eu/european_group_ethics>

Site web du débat public sur les nanotechnologies en France, <http://www.debatpublic-nano.org>

TABLE DES MATIÈRES